Der Rattenfänger zu Hameln

Deutsche Gespräche

VON

E. P. APPELT

und

A. M. HANHARDT

University of Rochester

BOSTON

D. C. Heath and Company

Copyright, 1947, by D. C. Heath and Company

No part of the material covered by this copyright may be reproduced in any form without written permission of the publisher.

Printed in the United States of America

5 F 3

| *Offices* | BOSTON | NEW YORK | CHICAGO |
| ATLANTA | SAN FRANCISCO | DALLAS | LONDON |

Foreword

Deutsche Gespräche has been prepared as a regular textbook for German conversation courses or as a conversational reader for standard reading courses in German. It is intended for the first- or second-year level. The vocabulary aims to be complete and includes numerous entries which make the book accessible to students who have not yet taken up all points of elementary grammar (cf. Explanatory Notes, page 147).

Excellent textbooks emphasizing the spoken approach to the learning of German have been published during the past several years; nevertheless, there is a lack of a sufficient variety of material which lends itself to both memorization and reading. The authors of *Deutsche Gespräche* have been aware of this situation for some time and have, therefore, made the material contained in this volume available to the users of the *Jugendpost*,[1] from which source it has been tried out in German classes throughout the country. Numerous requests have come in from teachers asking that this material be published in book form with suitable exercises and vocabulary. This demand is thus being satisfied and an approved text is being put into more permanent form.

Deutsche Gespräche differs from most recently published conversation books in that it does not offer parallel translations in English. The completeness of the vocabulary attempts to compensate for this, making the book effective for use in classes employing the memorization method. It may be used to equal

[1] *Jugendpost* (German-language periodical for American students of German). Edited and written by E. P. Appelt and A. M. Hanhardt, University of Rochester, and Adelaide Biesenbach, Madison High School, Rochester, N.Y. Published the middle of each month from September to June, by the Rochester Daily *Abendpost*, 237-39 Andrews Street, Rochester 4, N.Y.

advantage in classes conducted according to traditional or eclectic methods, especially when teachers find it impractical to require a considerable amount of memory work from their students but at the same time regard acquaintanceship with conversational material desirable.

No explicitly German background and no forms of travelers' German have been given consideration in the composition of the greater portion of the text. Colloquialisms which might generally be limited to provincial or social groups have been, on the whole, purposely avoided. An effort has been made to acquaint the student with a spoken German that he can use in natural situations on the campus, in his home, or wherever he might, under American or foreign conditions, meet an individual who also speaks German. With such a grasp of conversational ability a student may later acquire, with a certain degree of ease, colloquialisms and provincialisms that a protracted stay in a given locality will require.

THE TEXT

For the most part, the text has been written in a style that may be readily translated. The length of the *Gespräche* is varied and adapted to natural situations. No attempt has been made to extend or shorten a natural conversation artificially for the purpose of making the lessons uniform in length. In order to preserve spontaneity of situation, no predetermined sequence of events has been planned, and names change from conversation to conversation. *Du* and *Sie* are used as occasion demands. Where consistent practice in the use of *Sie* is preferred, names of persons may be changed and *Herr* and *Fräulein* or *Frau* used quite uniformly for memorization requirements.

Since each conversational situation naturally requires a suitable vocabulary and style, a systematic grading according to difficulty has not been followed. Any selection in the book may be taken up at any given time. If *Deutsche Gespräche* is used as a companion text in a standard reading course, the subject matter in the regular reader may well determine the sequence of *Gespräche* used.

Whenever a selection is memorized by the students, it should also be enacted in the classroom. For more enterprising performances at German clubs and other meetings, the four playlets are offered. Because of their brevity and modest demands for stage settings, these playlets were successfully performed in many schools at the time of their publication in the *Jugendpost*. Whether read or performed, these playlets will challenge the student's ability to comprehend a more extensive sequence of spoken events and a more colloquial style of speech.

EXERCISES

Each set of exercises is divided into three parts: *Fragen*, *Übungen*, and *Aufgaben*.

The *Fragen* are intended to expand the *Gespräche* and test comprehension. Without stressing undue uniformity, certain types of questions have been repeated, in order to establish habits and forms of procedure. These type-questions are adaptable to discussions of short stories and plays, and also to criticism of dramas and novels, on other levels of instruction. All answers to questions should be given in complete statements, whether used for oral or written assignments.

The *Übungen* are designed to facilitate a more thorough elaboration of the text and *Fragen* from the standpoint of grammatical structure and vocabulary-building. (All new words used in the exercises have been incorporated into the vocabulary.) These exercises should encourage the student to make the material of each *Gespräch* his own and to aid him in self-expression.

The *Übungen* do not, in general, consist of disconnected sentences, but attempt to expand the adaptability of each *Gespräch* to varied situations. If complete sentences are insisted upon whenever the student speaks, the exercises will impress patterns of speech on the student's mind, which will give him an increasing independence in spoken German. No systematic review of all points of grammar has been carried through, but the teacher will find ample opportunity to drill principal parts of verbs, genders and plurals of nouns, the use of pronouns, adjectives, prepositions, etc., as well as word-order.

The *Aufgaben* present a number of topics which, as a rule, require only a paraphrasing of the *Gespräch* in the form of a report and, accordingly, demand only the natural grammatical changes determined by circumstances. More advanced students may elaborate on these topics at will, to the extent of their ability. Material from a previous *Gespräch* may be easily incorporated into one newly assigned, leading to a more extensive treatment of the new situation (e.g. after having learned *Wie man Auto fährt*, a student may be asked to report on how he drove to the store to buy a pair of shoes *Im Schuhladen*). Such more comprehensive topics may be assigned at the discretion of the teacher and the level of achievement of the student.

The authors are keenly aware of the fact that all conversational situations are personal in character and the number of such situations is unlimited. No selection made within the limits of one volume can fulfill the desires of every teacher and class. It is hoped, however, that a sufficient variety has been offered here to satisfy to a high degree those who will be using these *Gespräche* and playlets for the first time.

The authors wish to express their deep appreciation to Dr. José Padín, Dr. Cioffari, and their co-workers of D. C. Heath and Company for valuable suggestions and aid in making the publication of this book possible.

E. P. A.
A. M. H.

University of Rochester
Rochester, New York

Contents

Foreword, iii
Wir wollen deutsch sprechen, 3
Der Student bei seinem Professor, 5
Walter und Irma telephonieren, 7
Eine Begegnung, 10
An der Haltestelle, 13
Im Omnibus, 15
Die Zeit, 18
Am Kaffeetisch, 21
Wir schreiben einen deutschen Aufsatz, 25
Die Erkältung, 28
Otto Dege ist im Krankenhaus, 31
Frau Pöhl bestellt Blumen, 33
Vor dem Lichtspielhaus Atlantik, 35
Reinhold will den Dom besichtigen, 37
Henry schreibt einen deutschen Brief, 40
Am Briefmarken-Schalter, 44
Kuno bestellt eine Zeitschrift, 46
Der Briefkasten, 49
Herr Schulz schickt ein Telegramm, 52
Wie man Auto fährt, 55
Kurt fährt zur Tankstelle, 58
Kurt ruft zu Hause an, 60
Wir müssen das Auto in gutem Stande erhalten, 63
Der Rasen muß gemäht werden, 65
Im Garten, 68
Wir gehen zur Bank, 71
Wie grüßt man in Deutschland? 75

In der Schreibwarenhandlung, 78
Beim Schuhmacher, 81
Im Schuhladen, 84
Ich lasse das Kleid reinigen, 87
Wir wollen ein Zimmer mieten, 89
Der kalte Winter, 92
Vor dem Schaufenster eines Kaufhauses, 95
Wir kaufen einen Weihnachtsbaum, 98
Fröhliche Weihnachten, 101
Der neue Rundfunkapparat, 103
Was man nicht im Kopfe hat, 106
Till Eulenspiegel und der Wirt (Ein kleines dramatisches Spiel), 110
Der Rattenfänger zu Hameln (Ein Spiel in 3 Bildern), 117
Die Heimkehr am Weihnachtsabend (Ein Weihnachtsspiel), 125
Auf der Eisenbahn (Ein kleines dramatisches Spiel), 137
Vocabulary, 149

Deutsche Gespräche

Wir wollen deutsch sprechen

Donald und Barbara sehen sich zum erstenmal nach den Sommerferien. Sie sitzen zusammen im Klassenzimmer und unterhalten sich vor Anfang der Stunde.

Donald: Guten Tag, Barbara! Da sind wir wieder in derselben Deutschklasse!

Barbara: Das ist doch schön, nicht wahr? Du siehst aber gut aus; was hast du den ganzen Sommer gemacht?

Donald: Auf dem Lande gearbeitet, aber davon kann ich dir später erzählen. Jetzt will ich dir einen Vorschlag machen.

Barbara: Das hört sich aber wichtig an.

Donald: Ja, das ist es auch. Ich schlage vor, daß wir soviel wie möglich deutsch sprechen.

Barbara: Du sprichst jetzt schon viel.

Donald: Ich habe mich im Sprechen geübt. Ich war auf einer Farm mit einem College-Studenten zusammen, der gut Deutsch gelernt hat. Bei der Arbeit haben wir immer deutsch gesprochen.

Barbara: Ich habe den ganzen Sommer kein deutsches Wort gesprochen.

Donald: Der Student hat mir immer wieder gesagt, daß man fremde Sprachen nicht nur lesen, sondern auch fließend sprechen lernen sollte.

Barbara: Fließend deutsch sprechen? Das werde ich nie lernen; ich mache zu viele Fehler.

Donald: Natürlich werden wir Fehler machen, aber wir können trotzdem fließend sprechen lernen. Je mehr wir üben, je weniger stocken wir beim Sprechen. Wir können auch kleine Gespräche auswendig lernen ...

Barbara: Und die Sätze gebrauchen, wenn wir sprechen.

Donald: Jawohl, aber jetzt müssen wir still sein. Der

Lehrer steht schon vor der Klasse. Wir können nachher weitersprechen.

Fragen

1. Wo sind Donald und Barbara? 2. Wann sind sie dort? 3. Wo ist Donald in den Ferien gewesen? 4. Was hat er dort getan? 5. Mit wem ist er zusammen gewesen? 6. Was haben sie oft bei der Arbeit getan? 7. Wie denkt Barbara über das Deutschsprechen? 8. Was meint Donald dazu? 9. Warum hören beide auf zu sprechen? 10. Wann wollen sie sich weiterunterhalten?

Übungen

A. *Fehlendes ist zu ergänzen:*
  1. Mit wem spricht die Studentin?
     Sie spricht mit d– Studenten, mit d– Professor, mit d– Dame, mit d– Freundin, mit d– Leuten, mit d– Verkäufer, mit d– Kindern.
  2. Wo hat Donald gearbeitet?
     Er hat auf d– Lande, in d– Garten, auf d– Felde, auf d– Wiese, in d– Walde und in d– Gärtchen gearbeitet.
  3. Wohin gehen die Studenten in den Ferien?
     In den Sommerferien gehen sie auf d– Land, in d– Berge, an d– See (*sea*); in den Weihnachtsferien zu d– Eltern nach Hause, zu d– reich– Onkel nach Florida; in den Osterferien zu d– Onkel in New York.
B. *Gebrauchen Sie die folgenden Wörter in Sätzen:* Fehler, Vorschlag, aussehen, üben, weitersprechen.

Aufgaben

1. Donald erzählt, warum er deutsch sprechen will. 2. Barbara erzählt einer Freundin von Donald. 3. Was muß man tun, wenn man fließend deutsch sprechen lernen will? 4. Wenn ich Barbara wäre.

Der Student bei seinem Professor

Der Student Edward Keller möchte mit Professor Behnke sprechen. Er klopft während der Sprechstunde an die Tür des Amtszimmers.

Prof. B.: Herein, bitte!

Herr K.: Guten Tag, Herr Professor!

Prof. B.: Guten Tag!... Sie sind doch Herr Keller, nicht wahr?

(*Herr Keller reicht Herrn Professor Behnke die Hand.*)

Herr K.: Jawohl, Herr Professor, ich möchte in diesem Semester Ihre Vorlesungen über Goethe besuchen.

Prof. B.: Nehmen Sie doch Platz!

Herr K.: Danke.

(*Herr Keller setzt sich auf einen Stuhl, der neben dem Schreibtisch des Professors steht.*)

Prof. B.: Die Vorbedingungen zu den Goethe-Vorlesungen haben Sie im Studium der Literatur des achtzehnten Jahrhunderts erfüllt, nicht wahr?

Herr K.: Jawohl, im vorigen Semester habe ich Lessing und Schiller studiert. Der Kursus hat mir sehr gefallen. Nun möchte ich Goethes Leben und Werke eingehend studieren.

Prof. B.: Nun, dann sind Sie gut vorbereitet. Sie wissen wohl schon, daß die Vorlesungen montags, mittwochs und freitags um 10 Uhr stattfinden?

Herr K.: Jawohl, ich habe mich schon erkundigt, und auf meinem Stundenplan für dieses Semester habe ich die Stunde an den Tagen frei.

Prof. B.: Gut, kommen Sie morgen in die erste Vorlesung. Alles Weitere werden Sie dann erfahren.

Herr K.: Danke vielmals, Herr Professor! Auf Wiedersehen!

Prof. B.: Auf Wiedersehen!

(*Herr Keller verläßt das Amtszimmer des Professors und macht die Tür zu.*)

Fragen

1. Wo unterhält sich der Professor mit dem Studenten? 2. Warum ist der Professor in seinem Büro? 3. Was will der Student? 4. Wozu fordert ihn der Professor auf? 5. Welche Bedingungen hat der Student zu erfüllen, ehe er Goethe studieren darf? 6. Wann finden die Goethe-Vorlesungen statt? 7. Wann wird die erste Vorlesung sein?

Übungen

A. *Setzen Sie die richtigen Präpositionen ein:*
   Ich setze mich — einen Stuhl. Er steht — dem Schreibtisch. Ich gehe — die Vorlesung. Wir klopfen — die Tür. Der Student besucht den Professor — der Sprechstunde.
B. *Setzen Sie Fehlendes ein:*
   Mir gefällt d— Zimmer, d— Vorlesung, d— neue Professor, d— alte Stühl, d— schöne Wetter.
C. *Nennen Sie den Plural der folgenden Hauptwörter:* Professor, Doktor, Vorlesung, Stundenplan, Student, Studentin, Platz, Stuhl.

Aufgaben

1. Erzählen Sie, wie Sie bei Ihrem Lehrer oder Professor gewesen sind. 2. Beschreiben Sie das Zimmer Ihres Lehrers. 3. Sprechen Sie über Ihren Stundenplan. 4. Erzählen Sie, was Sie studieren.

Walter und Irma telephonieren

Walter will Irma anrufen. Er geht an den Fernsprecher, hat aber die Telephonnummer vergessen und muß im Telephonbuch nachsehen. Er findet die Nummer, setzt sich neben den Apparat und nimmt den Hörer ab.

Telephonfräulein: Hier Amt.
Walter: Humboldt 2238, bitte!
(*Walter wartet und hört bald die Stimme einer Dame im Telephon.*)
Dame: Hier Schulze. Wer dort?
Walter: Guten Tag, Frau Schulze! Hier Walter Braun...
Frau Schulze: Guten Tag! Ich weiß schon, daß Sie mit meiner Tochter Irma sprechen wollen. Sie freut sich schon auf das Fußballspiel. Einen Augenblick, bitte!
(*Stille*)
Irma: Guten Tag, Walter! Es ist nett, daß du schon anrufst.
Walter: Ich will nur fragen, wann ich dich abholen soll.
Irma: Ja, wann beginnt das Spiel?
Walter: Punkt zwei Uhr, Irma.
Irma: Dann müssen wir um halb zwei von hier abfahren.
Walter: Spätestens! Und noch etwas, Irma. Bringe doch deine Schwester Irene mit! Nach dem Spiel wollen einige Studenten und Studentinnen zusammen in die Stadt fahren. Bis zum Abendessen sind wir aber wieder zu Hause. Was sagst du dazu?
Irma: Sehr gut, Walter! Irene kommt gern mit. Du mußt aber pünktlich sein!
Walter: Natürlich! Schon vor halb zwei steht mein Auto vor dem Hause und ich vor der Tür.
Irma: Gut! Auf Wiedersehen!
Walter: Auf Wiedersehen!
(*Walter hängt den Hörer wieder an.*)

Walter: Ich muß mich aber beeilen. Ich habe noch eine kleine Reparatur am Auto zu machen und muß auch noch Benzin tanken.

Fragen

1. Wen will Walter anrufen? 2. Wo findet er die Telephonnummer? 3. Wer antwortet zuerst? 4. Wen ruft Frau Schulze? 5. Was will Walter wissen? 6. Wohin wollen beide gehen? 7. Wann beginnt das Fußballspiel? 8. Was sollen sie nach dem Spiel tun? 9. Wann wollen sie wieder zu Hause sein? 10. Warum muß Walter sich beeilen?

Übungen

A. *Ergänzen Sie Fehlendes:*
 1. Worauf freut man sich?
   a) Man freut sich auf d— Fußballspiel.
   b) Man freut sich auf d— Ferien.
   c) Man freut sich auf d— Autofahrt.
   d) Man freut sich auf d— Tanzabend.
   e) Man freut sich auf d— Geburtstag.
 2. Worüber freut man sich?
   a) Man freut sich über d— neue Auto.
   b) Man freut sich über d— schön— Blumen.
   c) Man freut sich über d— Geburtstagsgeschenk.
   d) Man freut sich über d— Brief mit d— Scheck.

B. *Gebrauchen Sie statt der kursiv gedruckten Wörter andere Wörter und Ausdrücke:*
 1. Wann *fängt* das Spiel *an?* 2. Was *meinst* du dazu? 3. Er geht ans *Telephon.* 4. Er hat die *Fernsprechnummer* vergessen. 5. Sie steht im *Fernsprechbuch.*

C. *Wie man sein muß:*
 Man muß pünktlich sein, nicht unpünktlich.
   a) Man muß freundlich sein, nicht —.
   b) Man muß höflich sein, nicht —.

c) Man muß aufmerksam sein, nicht —.
d) Man muß dankbar sein, nicht —.

Aufgaben

1. Wie Walter telephoniert. 2. Frau Schulze erzählt von Walters Telephonanruf. 3. Irma Schulze erzählt, wie sie den Nachmittag verlebt hat. 4. Wie man den Fernsprecher benutzt.

Eine Begegnung

Margot und Anna stehen vor dem Schulgebäude.

Margot: Da kommen Paul und Werner. Sollen wir hier warten und sie begrüßen?

Anna: Natürlich! Ich möchte Paul fragen, was er zum Geburtstag bekommen hat.

5 **Margot:** Er hat aber erst heute Geburtstag.

Anna: Vielleicht hat er schon sein Geschenk. Man kann doch fragen.

Paul und Werner: Guten Morgen, Anna und Margot!

Margot: Guten Morgen! Ich gratuliere dir zum Geburtstag, Paul.

10

Anna: Auch meinen herzlichsten Glückwunsch, Paul! Hast du schon dein Geburtstagsgeschenk bekommen?

Paul: Jawohl, es lag neben meinem Teller auf dem Frühstückstisch. Seht ihr? Eine schöne Armbanduhr!

15 **Margot und Anna:** Wie schön!

Werner: Fünfzehn Minuten lang sind wir schon zusammen, und du sagst mir gar nichts, nichts von der Uhr und nichts von deinem Geburtstag. Nun wünsche ich dir auch alles Gute zum Geburtstag.

20 **Paul:** Danke schön, Werner! Mit der Uhr wollte ich aber nicht prahlen.

Werner: Du hast Glück, Paul. Ich trage immer noch diese billige Taschenuhr.

Anna: Deine Uhr sieht wirklich tadellos aus, Paul.

25 **Paul:** Sie geht auch tadellos.

Margot: Dann kannst du uns genau sagen, wieviel Uhr es ist.

Paul: Punkt acht Uhr dreißig — halb neun. Bei der genauen Zeitangabe im Radio ging sie heute früh ganz genau.

Werner: Ich muß meine alte Taschenuhr jeden Morgen stellen. An einem Tage geht sie wenigstens zehn Minuten vor.

Margot: Das schadet nichts. Meine Uhr geht immer nach, und ich komme dann zu spät.

Anna: Wieviel Uhr ist es jetzt, Paul?

Paul: Zwanzig Minuten vor neun.

Anna: Da wir uns nach einer so genau gehenden Uhr richten können, wollen wir auch pünktlich im Klassenzimmer erscheinen.

Margot: Du nimmst alles zu genau, Anna.

Werner: Sie hat aber recht.

Paul: Jawohl, und ich lade euch zu einem Stück von meinem Geburtstagskuchen ein — um vier Uhr heute nachmittag bei mir zu Hause!

Anna: Danke schön, Paul, die Einladung nehmen wir alle gern an.

Werner: Ganz bestimmt! Auf Wiedersehen!

Alle: Auf Wiedersehen!

(*Alle laufen ins Schulgebäude.*)

Fragen

1. Wie heißen die Personen dieser Unterhaltung? 2. Wo befinden sie sich? 3. Was wollen die Mädchen wissen? 4. Wie begrüßen sie Paul? 5. Mit welchen Worten gratulieren sie ihm zum Geburtstag? 6. Warum hat Paul seinem Freunde nichts von der Uhr gesagt? 7. Was sagt Werner von seiner Uhr? 8. Was berichtet Margot von ihrer Uhr? 9. Wozu ladet Paul ein? 10. Wann sollen Sie kommen?

Übungen

Fehlendes ist zu ergänzen:

1. Warum sagst du mir nichts
    von dein- Bruder, von dein- Schwester, euer- neue- Auto, dein- Weihnachtsgeschenken, d- Schularbeit?

2. Wo lag das Geschenk?

Es lag neben d- Teller, auf d- Tisch, unter d- Mundtuch, zwischen d- Tasse und d- Teller, vor d- Kuchen.

3. Wozu laden Sie ein?

Ich lade zu- Geburtstag, zu- Hochzeit, zu- Weihnachtsfeier, zu- Ball, zu- Gartenfest ein.

Aufgaben

1. Paul erzählt, wie er seinen Geburtstag gefeiert hat. 2. Laden Sie schriftlich zu Ihrem Geburtstag ein. 3. Erzählen Sie von der letzten Geburtstagfeier, auf der Sie waren.

An der Haltestelle

An der Omnibus-Haltestelle steht eine Studentin. Eine ältere Dame bleibt neben ihr stehen und redet sie an.

Dame: Darf ich Sie fragen, wann der nächste Omnibus kommt?

Studentin: Nach meiner Uhr sollte einer in fünf Minuten hier sein.

Dame: Danke, und können Sie mir auch sagen, wie oft der Omnibus fährt?

Studentin: Frühmorgens und spätnachmittags, wenn starker Verkehr herrscht, alle sieben Minuten, sonst am Tage alle zwölf Minuten.

Dame: Ich danke schön.

Studentin: Gern geschehen! Ich kenne die Fahrzeiten gut, denn ich fahre regelmäßig auf dieser Linie.

(*Beide stehen nun und warten auf den Omnibus.*)

Dame: Glauben Sie, daß wir heute wieder Regen bekommen?

Studentin: Nein, es scheint ein schöner Tag zu werden, aber gestern war's ganz anders, nicht wahr?

Dame: Ein schlechter Tag war es. Ich hab' mich gefreut, als es aufgehört hat zu regnen.

Studentin: In letzter Zeit weiß man von Tag zu Tag gar nicht, wie das Wetter sein wird.

Dame: Da haben Sie recht. Fast jeden Morgen ist der Himmel bewölkt.

Studentin: Man darf aber nicht zu sehr klagen. Naßkaltes Wetter ist jetzt zu erwarten. — Ich freue mich aber doch auf die sonnigen Herbsttage.

Dame: Und dann wird's auf einmal zu kalt.

Studentin: Nach diesem schönen Sommer werden wir einige kalte Tage schon ertragen können. — Da kommt der

Omnibus schon! Meine Uhr geht wohl ein wenig nach.
(*Der Omnibus hält, und die Studentin hilft der älteren Dame beim Einsteigen. Der Omnibus fährt nun weiter.*)

Fragen

1. Was für eine Haltestelle ist es? 2. Wer unterhält sich dort? 3. Wie oft fahren die Omnibusse während des Tages? 4. Wie oft fahren sie in den frühen Morgenstunden und am späten Nachmittag? 5. Wie kommt es, daß die Studentin die Fahrzeiten so gut kennt? 6. Worüber unterhält sich die Dame mit der Studentin? 7. Was für Wetter war am Tage vorher? 8. Wann muß man naßkaltes Wetter erwarten? 9. Was für Herbsttage gibt es? 10. Welche Jahreszeit haben Sie am liebsten?

Übungen

A. *Fehlendes ist zu ergänzen:*
  1. Womit fahren Sie am liebsten?
     Ich fahre am liebsten mit d– Omnibus, mit d– Auto, mit d– Straßenbahn, mit d– Eisenbahn, mit d– Rad, mit d– Motorrad.
  2. Was für Wetter haben Sie gern?
     Ich habe gern sonnig– Frühlingstage, kühl– Sommertage, klar– Herbsttage, hell– Wintertage.
  3. Welche Tage gefallen Ihnen nicht?
     Die regnerisch– Frühlingstage, die heiß– Sommertage, die stürmisch– Herbsttage, die sehr kalt– Wintertage gefallen mir nicht.

B. *Erklären Sie folgende Wörter in vollständigen Sätzen:* naßkalt, regenreich, sonnig, schneereich, frostig.

Aufgaben

1. Unterhalten Sie sich mit einer Nachbarin über das Wetter.
2. Erzählen Sie, wie Sie diesen Morgen zur Schule (zur Universität) gekommen sind.

Im Omnibus

Anna und Bert steigen an derselben Haltestelle in den Omnibus ein. Sie finden zwei freie Sitzplätze nebeneinander und setzen sich hin. Bert macht sofort die Augen zu. Es steigen noch viele Fahrgäste, besonders Frauen, ein. Alle Plätze sind besetzt, und es stehen mehrere Frauen.

Anna: Heute morgen war der Omnibus auch ganz besetzt. Ich habe keinen Sitzplatz bekommen und mußte die ganze Strecke bis in die Stadt stehen.
Bert: Ich auch.
Anna: Und jetzt gibt's noch nicht einmal einen Stehplatz.
Bert: Ja, es ist einfach schrecklich!
(*Anna sieht Bert an. Er hat die Augen immer noch zu.*)
Anna: Wie weißt du, ob's schrecklich ist? Du hast doch die Augen geschlossen.
Bert: Ich hab's beim Einsteigen geahnt: Keine Sitzplätze! Keine Stehplätze! Und viele Damen!
Anna: Aber was hat das mit deinen Augen zu tun? Die macht man doch nur zu, wenn man müde ist.
Bert: Müde bin ich nicht. Im Gegenteil! Ich spiele heute nachmittag noch Handball.
Anna: Dann sag mir doch endlich, warum du die Augen geschlossen hältst!
Bert: Verstehst du's nicht? Ich kann doch nicht als galanter junger Herr einfach hier sitzen und zusehen, wenn so viele Damen stehen müssen. So habe ich die Augen zugemacht, sobald ich diese schreckliche Lage ahnte.
Anna: Du Schelm! Steh sofort auf!
Bert: Ja, ja, ich stehe sofort auf, ich muß doch an der nächsten Haltestelle aussteigen.
(*Anna macht ein ernstes Gesicht, als ob sie ihn ausschimpfen will.*)

Anna: Dir muß ich noch die einfachsten Anstandsregeln beibringen!

Bert: Das sagt meine Schwester auch. Ich werde mich aber bessern. Auf Wiedersehen!

(*Beide lachen. Er steht auf, drängt sich bis zum Ausgang durch, schaut noch einmal nach Anna zurück und winkt mit der Hand. Dann steigt er aus.*)

Fragen

1. Wo beginnt das Gespräch? 2. Wo wird es fortgesetzt? 3. Welche Personen unterhalten sich? 4. Was tun sie an der Haltestelle? 5. Was für Fahrgäste steigen ein? 6. Was für Plätze finden Bert und Anna? 7. Warum schließt Bert die Augen? 8. Wer belehrt ihn über Anstand? 9. Wer gibt ihm zu Hause Anstandsregeln? 10. Was zeigt, daß Bert noch Anstand lernen muß, als er aussteigt?

Übungen

A. *Fehlendes ist zu ergänzen:*
 Wir steigen auf d– Pferd, auf d– Fahrrad, auf d– Baum, auf d– Dach, in d– Auto, in d– Omnibus, in d– Zug, in d– Flugzeug, über d– Zaun, aus d– Omnibus, aus d– Bett, von d– Pferd, von d– Baum, von d– Dach.

B. *Vervollständigen Sie die folgenden Sätze:*
 1. Ich habe es geahnt, daß —. 2. Sage mir doch, warum —. 3. — war der Omnibus besetzt. 4. Sie macht ein Gesicht, als ob —.

C. *Bilden Sie Befehlsformen der folgenden Verben und Wendungen:* (aussteigen, Steigen Sie aus! Steige aus!) einsteigen, spielen, zusehen, die Augen schließen, sich auf den freien Platz setzen.

Aufgaben

1. Anna erzählt von ihrer Omnibusfahrt mit Bert. 2. Berts Mutter fragt ihren Sohn, wie die Omnibusfahrt war? 3. Bert erzählt das Gespräch mit Anna einem Freunde.

Die Zeit

Karl Roth eilt in das Universitätsgebäude. Er begegnet Elsa Klein.

Herr R.: Guten Tag, Fräulein Klein! Wie spät ist's?
Frl. K.: Sie haben's aber eilig!
Herr R.: Ja, ja, sehr eilig! Sie haben doch eine Armbanduhr; sagen Sie mir schnell, wieviel Uhr es ist!
5 **Frl. K.:** Nach meiner Uhr ist es zehn Minuten nach zehn.
Herr R.: Da habe ich noch Zeit. Ich kann mich nie auf meine Taschenuhr verlassen. Sie geht entweder vor oder nach oder bleibt sogar manchmal stehen. Heute morgen habe ich sie aufgezogen und genau nach der Zeitansage im
10 Radio gestellt. Nun geht sie wieder nach dem Mond!
Frl. K.: Meine geht immer genau. Man muß sich eben eine gute Uhr kaufen — oder schenken lassen.
Herr R.: Ja, schenken lassen! Wer schenkt mir eine gute Uhr?
15 **Frl. K.:** Vielleicht ein reicher Onkel oder . . .
Herr R.: Machen Sie keine Witze! Ich muß jetzt in die Vorlesung eilen. Herr Professor Schneider fängt immer sehr pünktlich an.
Frl. K.: Das weiß ich zufällig.
20 **Herr R.:** Das wissen Sie, weil wir im letzten Semester Herrn Professor Schneiders Vorlesungen um acht Uhr fünfzehn morgens zusammen besucht haben.
Frl. K.: Und ich weiß es auch, weil wir in diesem Semester auch wieder Vorlesungen bei Professor Schneider zusam-
25 men besuchen.
Herr R.: Das habe ich in der Eile ganz vergessen.
Frl. K.: Vergeßlich sind Sie! Sie sind immer noch Student, aber Sie benehmen sich schon wie ein sogenannter zerstreuter Professor.

Herr R.: So schlimm ist's doch noch nicht! Ich bin zu dieser Vorlesung pünktlich angekommen. Was will man noch mehr! — Gehen wir nun in den Hörsaal!
Frl. K.: Nach meiner Uhr haben wir noch zweiundeinhalb Minuten Zeit. Ich komme auch nie zu spät, denn ...
Herr R.: ... denn Ihre Uhr geht immer genau. Wenn wir aber hier stehenbleiben, kann sie uns doch nicht helfen.
Frl. K.: Dann gehen wir wohl am besten.
(Fräulein Klein und Herr Roth treten in den Hörsaal und nehmen Platz.)

Fragen

1. Wohin eilt Karl Roth? 2. Wem begegnet er? 3. Was möchte er wissen? 4. Was sagt er von seiner Taschenuhr? 5. Warum geht Fräulein Kleins Armbanduhr genau? 6. In wessen Vorlesung will Karl Roth gehen? 7. Was weiß er von Professor Schneider? 8. Woher weiß das auch Fräulein Klein? 9. Wie nennt sie Roth, weil er so vergeßlich ist? 10. Wo befinden sich Fräulein Klein und Roth am Ende des Gesprächs? 11. Wann sind Sie gestern aufgestanden? 12. Wieviel Stunden hatten Sie geschlafen? 13. Von wann bis wann schlafen Sie gewöhnlich? 14. Wann gehen Sie jeden Tag von der Universität nach Hause? 15. Wie lange sind Sie jeden Tag in der Universität?

Übungen

A. *Fehlendes ist zu ergänzen:*
   1. Von wem bekommt man etwas geschenkt?
      Man erhält ein Geschenk von ein- reich- Onkel, von ein- gut- Tante, von d- Eltern, von ein- ält- Bruder, von ein- jünger- Schwester.
   2. Allerlei Uhren.
      Die Turmuhr ist im —, die Wanduhr ist an d- Wand, die Küchenuhr ist in d- Küche, am Morgen weckt uns die —, am Arm trägt man eine —.

B. *Erklären Sie folgende Wörter:* Hörsaal, Tanzsaal, Speisesaal, Lesesaal, Konzertsaal, Operationssaal.

C. *Erklären Sie die folgenden Wörter:* Uhrmacher, Uhrzeiger, Uhrtasche, Uhrkette, Uhrfeder, Uhrwerk, Uhrglas, Uhrschlüssel.

Aufgaben

1. Karl Roth erzählt von seiner Uhr. 2. Beschreiben Sie Ihre Uhr. 3. Erzählen Sie, was für eine Uhr Sie sich wünschen.

Am Kaffeetisch

Es ist 4 Uhr Sonntag nachmittag. Herr und Frau Hoffmann haben Besuch. Herr Hoffmann sitzt mit Herrn und Frau Neumann und dem zwölfjährigen Paul Neumann im Wohnzimmer.

Herr H.: Es freut uns sehr, daß Sie uns wieder einmal besuchen. Ich weiß gar nicht mehr, wann Sie zuletzt bei uns gewesen sind. Wir freuen uns auch, daß Paul mitkommen konnte.
Frau N.: Wo ist Ihre Gattin hin? Sie hat uns begrüßt und ist dann gleich verschwunden.
Herr H.: Sie deckt wohl den Kaffeetisch.
Herr N.: Es ist aber gar nicht nötig, daß sie sich solche Umstände macht.

(Frau Hoffmann kommt ins Wohnzimmer.)

Frau H.: Wir freuen uns aber, daß wir alte Bekannte wieder einmal zu einer Tasse Kaffee einladen dürfen. Kommen Sie doch, bitte, ins Speisezimmer!

(Alle treten ins Speisezimmer. Auf dem Tisch stehen große Teller mit Kuchen, einer Torte und kleinem Gebäck, eine große Kaffeekanne, ein Sahnekännchen, eine Zuckerdose und eine Schüssel Schlagsahne. An jedem Platz steht eine Tasse und Untertasse neben einem Teller mit Gabel und Löffel.)

Paul: Schau mal da, Mutter, Apfelkuchen und Schlagsahne!
Herr N.: Ruhig, Paul! Tue nicht so, als ob du zu Hause nichts bekämst!
Frau H.: Bitte, nehmen Sie Platz!
Frau N.: Sie haben aber ein schönes Kaffeeservice, Frau Hoffmann, und alles sieht so appetitlich aus.
Frau H.: Danke schön! Darf ich Ihnen eine Tasse Kaffee einschenken, bitte?
Frau N.: Bitte sehr!

Herr H. (*reicht Frau N. das Sahnekännchen und die Zuckerdose*): Zucker und Sahne, bitte?
Frau N. (*nimmt beides*): Bitte!
(*Frau H. fragt jeden, ob er Kaffee haben möchte, und gießt ein. Herr H. reicht Zucker und Sahne herum.*)
Frau H. (*zeigt auf die anderen Sachen*): Bitte, bedienen Sie sich! Und Paul, du möchtest wohl ein Glas Milch haben?
Paul: Ja, und auch ein Stück Apfelkuchen mit Schlagsahne.
Herr N.: Paul, du darfst darum bitten!
Paul: Darf ich um ein Stück Kuchen und etwas Schlagsahne bitten, Frau Hoffmann?
Frau H.: Natürlich! Reiche mir nur deinen Teller!
Herr H.: Bitte, Frau Neumann, nehmen Sie noch von dieser Torte!
Frau N.: Ich danke, nicht mehr.
Herr N.: Frau Hoffmann, wollen Sie mir, bitte, die Sahne reichen?
Frau H.: Sie haben noch keine Sahne? Verzeihung! Bitte, tun Sie auch einen Löffel Schlagsahne in Ihren Kaffee, Sie sollen ihn doch nicht schwarz trinken. (*Sie schaut sich um.*) Sind alle nun gut versorgt?
Alle: Danke schön.
Herr H.: Darf ich einen Vorschlag machen? Wenn wir mit dem Kaffee fertig sind, gehen wir alle zusammen im Park spazieren.
Frau N.: Ich bin sehr für den Vorschlag! Wir hatten schon davon gesprochen, als wir ins Haus kamen und den schönen Park gegenüber sahen.
Frau H.: Das ist aber schön! Mein Mann sagt nämlich immer: „Nach dem Essen sollst du stehen oder tausend Schritte gehen." Wir gehen daher auch täglich nach dem Kaffee oder nach dem Abendessen ein Stündchen spazieren.

Fragen

1. Wo findet der Anfang der Unterhaltung statt? 2. Wer nimmt an der Unterhaltung teil? 3. Wohin geht man dann? 4. Was befindet sich auf dem Tisch? 5. Welches Kompliment macht Frau Neumann der Frau Hoffmann, als sie den Kaffeetisch sieht? 6. Was schenkt Frau Hoffmann ein? 7. Was nimmt sich Frau Neumann selbst? 8. Welchen Vorschlag macht Herr Hoffmann? 9. Warum macht er den Vorschlag?

Übungen

A. *Setzen Sie Fehlendes ein:*
   1. Eine kleine Kanne ist ein Kännchen.
      a) Eine kleine Tasse ist — —.
      b) Ein kleiner Tisch ist — —.
      c) Ein kleines Zimmer ist — —.
      d) Ein kleiner Löffel ist — —.
   2. Bitte, reichen Sie mir die Sahne.
      a) Bitte, reichen Sie mir — Zucker.
      b) Darf ich um — Kuchen bitten?
      c) Darf ich um noch — Tasse Kaffee bitten?
      d) Würden Sie mir wohl — Butter reichen?
      e) Würden Sie mir wohl — Schlagsahne reichen?
B. *Ersetzen Sie die kursiv gedruckten Wörter durch andere deutsche Wörter:*
   1. „*Sieh* mal, Mutter, Apfelkuchen mit Schlagsahne." 2. Auf dem Tisch *sind* große Teller mit *Gebäck*. 3. Neben jedem Teller *befindet* sich eine Tasse mit Untertasse. 4. „Paul, du *wünschst* wohl noch ein Stück Apfelkuchen?" 5. „*Gib* mir deinen Teller, Paul."
C. *Nennen Sie die Feminina im Singular und Plural zu den folgenden Wörtern:* der Gatte (die Gattin, die Gattinnen), der Herr, der Lehrer, der Beamte, der Telegraphist, der Student, der Verkäufer.

Aufgaben

1. Machen Sie eine Liste aller Dinge auf dem Kaffeetisch.
2. Was ist aus Silber? Was ist aus Porzellan? 3. Was ißt man, was trinkt man? 4. Erzählen Sie, wie Sie den Kaffeetisch decken. 5. Frau Hoffmann erzählt, von ihrem Kaffeebesuch. 6. Paul Neumann erzählt.

Wir schreiben einen deutschen Aufsatz

Während der Deutschstunde gibt der Deutschlehrer eine häusliche Arbeit auf. Der Lehrer steht am Pult vor der Klasse.

Lehrer: Wir haben nun einige Wochen lang die deutsche Aussprache geübt, Wörter und Redewendungen gelernt, Übungen geschrieben und auch einfache Konversation geführt. Jetzt schreiben wir einen Aufsatz.

Werner: Bitte, Herr Müller, was bedeutet das Wort „Aufsatz"?

Lehrer: Für uns bedeutet es eine schriftliche Schularbeit über irgendeinen Gegenstand. Wir schreiben so frei wie möglich, wir gebrauchen aber nur Wörter und Redewendungen aus unserem Lehrbuch. Wir schreiben zuerst auch nur einfache Sätze.

Karl: Dann können wir nicht viel schreiben!

Gertrud: Das wird zu schwer sein, Herr Lehrer!

Lehrer: Nein, es ist gar nicht schwer. Wir müssen nur einfach schreiben, ganz einfach! Ich zeige es Ihnen jetzt. Nehmen Sie ein Stück Papier und schreiben Sie! Ich diktiere ganz langsam.

(Lehrer Müller diktiert den folgenden kleinen Aufsatz als Musteraufsatz für Anfänger.)

Im Eßzimmer

Es ist Mittag. Das Essen ist fertig, und der Tisch ist gedeckt. Wir gehen darum ins Eßzimmer. In der Mitte des Zimmers steht der Eßtisch. An jedem Platz ist ein Teller, ein Suppenteller, eine Serviette und ein Glas Wasser. Neben dem Teller liegen Gabel, Messer, ein Teelöffel und ein Suppenlöffel. Wir setzen uns an den Tisch. Zuerst essen wir die Suppe. Wir essen sie mit dem Suppenlöffel. Sie ist heiß und schmeckt gut an solch einem kalten Tage. Wir sind nun mit der Suppe fertig und essen jetzt die Hauptspeise: Fleisch, Kartoffeln und Ge-

müse. Mit dem Fleisch und den Kartoffeln essen wir eine gute
Sauce (Sprich: So-ße!). Als Nachspeise oder Dessert gibt es
Pudding. Vater und Mutter trinken auch Kaffee. Wir Kinder
bekommen eine Tasse Tee oder ein Glas Milch. Nach dem
Essen stehen wir vom Tische auf und arbeiten oder spielen.

Gertrud: Das ist aber leicht!

Lehrer: Natürlich ist es leicht! Und je einfacher wir am
  Anfang schreiben, je eher können wir schwere Aufsätze
  schreiben, so schwer wie im Englischen. Worüber
  möchten Sie nun zu Hause schreiben?

Gertrud: „Der Herbst" oder „Unser Haus".

Werner: „Unsere Familie".

Karl: „Die Stadt" oder „Auf der Straße".

Margarete: „Die Deutschstunde" ist der leichteste Gegenstand.

Lehrer: Jawohl, darüber finden wir die meisten Wörter in
  unserem Lehrbuch. Für die nächste Stunde schreiben
  wir also über die Deutschstunde. Das wird eine gute
  Übung sein, und „Übung macht den Meister".

Fragen

1. Wer gibt das Thema für den Aufsatz? 2. Wie sollen die Schüler schreiben? 3. Was tut der Lehrer, damit die Schüler wissen, wie sie schreiben sollen? 4. Worüber sollen die Schüler zu Hause schreiben? 5. Wie lautet die Überschrift des Musteraufsatzes? 6. Was ißt man? 7. Womit ißt man? 8. Was trinkt man? 9. Welche Dinge sind auf dem Eßtisch? 10. Welche Dinge sind *a)* aus Porzellan, *b)* aus Glas, *c)* aus Metall?

Übungen

A. *Setzen Sie die fehlenden Präpositionen ein:*

1. Wir stellen die Suppe — den Tisch. 2. Wir essen sie — dem Löffel. 3. Wir trinken die Milch — dem Glas. 4. Wir

legen den Löffel — den Teller. 5. Wir essen das Fleisch — Sauce und Kartoffeln. 6. Wir stehen — dem Tisch auf.

B. *Erklären Sie die Unterschiede zwischen:* 1. ein Suppenteller und ein Teller Suppe, 2. ein Suppenlöffel und ein Löffel Suppe, 3. eine Teetasse und eine Tasse Tee, 4. eine Kaffeekanne und eine Kanne Kaffee.

C. *Zerlegen Sie die folgenden Wörter in ihre Teile und geben Sie die Bedeutung jedes Teils an:* Eßtisch, Nähtisch, Gartentisch, Küchentisch, Arbeitstisch, Sofatisch, Tischdecke, Tischbein, Tischkasten, Tischkante.

Aufgaben

1. Erzählen Sie, wie man den Tisch deckt. 2. Erzählen Sie Ihrer jüngeren Schwester, wie sie den Tisch decken soll. 3. Beschreiben Sie einen gedeckten Tisch.

Die Erkältung

Paul sitzt in der Bibliothek und liest. Wilma kommt in den Lesesaal, sieht ihn, kommt auf ihn zu und spricht mit ihm.

Wilma: Paul, ich wollte dich vorhin vor der Deutschstunde schon fragen, wo Ernst ist. Ich habe ihn den ganzen Morgen nicht gesehen.

Paul: Er hat sich Sonnabend nachmittag beim Fußballspiel erkältet.

Wilma: Das kann ich mir gar nicht vorstellen. Ich habe neben ihm gesessen, und er hat sich so sehr fürs Spiel begeistert.

Paul: Ja, so sehr, daß er Mantel und Gummischuhe zu Hause gelassen hatte.

Wilma: Das stimmt.

Paul: Und du kannst dich wohl erinnern, wie stark es geregnet hat?

Wilma: Das stimmt auch.

Paul: Jetzt kann er ein paar Tage im Bett liegen.

Wilma: Ist er schlimm krank?

Paul: Er hat Schnupfen und hustet sehr. Gestern abend hatte er auch Halsschmerzen.

Wilma: Hat er auch Fieber gehabt?

Paul: Das weiß ich nicht.

Wilma: Es hört sich doch nicht gut an. Wie hat er ausgesehen?

Paul: Schlecht! Seine Mutter hatte den Arzt schon kommen lassen.

Wilma: Was hat er gesagt?

Paul: Er denkt, daß er in acht bis zehn Tagen wieder auf den Beinen sein wird. Er hat auch ein Rezept geschrieben. Ich hab's für Ernsts Mutter zur Apotheke getragen, und der Apotheker hat eine Arznei angefertigt.

Wilma: Na, Ernst hat eine gute Mutter und ist gut versorgt.
Paul: Das meine ich auch! Sie tut alles, was der Arzt sagt und noch viel mehr.
Wilma: Besuchst du ihn bald wieder?
Paul: Heute nachmittag.
Wilma: Grüß ihn dann von mir und sag ihm auch, daß ich ihm gute Besserung wünsche.
Paul: Gern.
Wilma: Besten Dank! Auf Wiedersehen!
(*Wilma eilt weg, ehe Paul ihr auf Wiedersehen sagen kann.*)

Fragen

1. Wohin kommt Wilma? 2. Womit ist Paul beschäftigt? 3. Nach wem fragt Wilma? 4. Was hört sie von Paul? 5. Wie kommt es, daß Paul sich erkältet hat? 6. Wie zeigt sich seine Erkältung? 7. Wie ist sein Aussehen? 8. Was hat der Arzt gesagt? 9. Was hat der Arzt verschrieben? 10. Wer hat die Arznei angefertigt? 11. Was soll Paul von Wilma sagen?

Übungen

A. *Fehlendes ist zu ergänzen:*
  1. Wo Paul liest.
    a) Paul liest in d– Bibliothek, er nimmt sein Buch mit in d– Bibliothek
    b) Paul liest in d– Lesesaal, er nimmt sein Buch mit in d– Lesesaal.
    c) Paul liest im Wohnzimmer, er nimmt sein Buch mit in d– Wohnzimmer.
    d) Paul liest im Klassenzimmer, er nimmt sein Buch mit in d– Klassenzimmer.
    e) Paul liest im Park, er nimmt sein Buch mit in d– Park.

2. Woran ich mich erinnere.

Ich erinnere mich, wie stark es geregnet —, wie Ernst sich begeistert —, wie die Mannschaft gespielt —, wie kalt die Luft —, wie ich gefroren —, wie die Leute geschrieen —.

B. *Nennen Sie Verben zu den folgenden Hauptwörtern:* die Erinnerung, die Erkältung, die Vorstellung, die Meinung, die Frage, der Gruß.

Aufgaben

1. Wilma erzählt einer Freundin von Ernsts Erkältung. 2. Ernsts Mutter erzählt von seiner Erkältung. 3. Ernst berichtet in einem Brief, wie er sich erkältet hat. 4. Erzählen Sie, wie Sie sich einmal stark erkältet haben.

Otto Dege ist im Krankenhaus

Herr Dege steigt in die Straßenbahn ein und findet einen freien Sitzplatz neben Frau Pöhl.

Herr D.: Guten Morgen, Frau Pöhl!
Frau P.: Guten Morgen, Herr Dege! Ich habe gehört, daß Ihr Sohn Otto krank ist. Hoffentlich ist's nichts Schlimmes?
Herr D.: Ja, er liegt im Krankenhaus.
Frau P.: Schon lange?
Herr D.: Vor einigen Tagen ist er plötzlich schwer krank geworden. Er hatte schreckliche Schmerzen, und wir haben sofort das Krankenauto bestellt.
Frau P.: Ja, was war es denn?
Herr D.: Blinddarmentzündung, und der Arzt mußte gleich operieren.
Frau P.: Das tut mir aber leid! Erholt er sich gut?
Herr D.: Ich habe ihn gestern abend im Krankenhaus besucht. Es geht ihm schon besser.
Frau P.: Kann er schon aufsitzen?
Herr D.: Er könnte vielleicht schon im Bett aufsitzen, aber der Arzt gestattet es noch nicht.
Frau P.: Wissen Sie schon, wie lange er noch im Krankenhaus bleiben muß?
Herr D.: Noch fünf bis sechs Tage, dann wird er wohl aus dem Krankenhaus entlassen werden.
Frau P.: Das freut mich. Besuchen Sie ihn oft?
Herr D.: Jeden Abend.
Frau P.: An der nächsten Haltestelle muß ich aussteigen. — Grüßen Sie Ihren Sohn von mir, und ich wünsche ihm gute Besserung!

Herr D.: Danke! Auf Wiedersehen!
Frau P.: Auf Wiedersehen!
(*Die Straßenbahn hält, und Frau Pöhl steigt aus.*)

Fragen

1. Wo treffen sich Frau Pöhl und Herr Dege? 2. Wo ist Herrn Deges Sohn? 3. Warum ist er im Krankenhaus? 4. Seit wann ist er dort? 5. Wie lange soll er noch dort bleiben? 6. Wie oft besucht Herr Dege seinen Sohn? 7. Warum verabschiedet sich Frau Pöhl? 8. Was wünscht sie Otto Dege?

Übungen

A. *Ergänzen Sie Fehlendes:*
  1. Wo man Freunde und Bekannte trifft.
      Man trifft Bekannte und Freunde auf d– Straße, in d– Geschäften, in d– Straßenbahn, in d– Park, in d– Kinos, auf d– Bahnhof, in d– Bücherei, auf d– Sportplatz, vor d– Kirche, in d– Bildergallerie.
  2. Was man wünscht.
      a) Man wünscht d– Freunde ein– glückliche Reise.
      b) Man wünscht d– Mutter viel Glück zum Geburtstag.
      c) Man wünscht dem Kranken baldig– Besserung.
B. *Sprechen Sie die Wünsche unter Nr. 2 aus:* Ich wünsche dir ...

Aufgaben

1. Herr Dege erzählt von der Krankheit seines Sohnes. 2. Frau Pöhl erzählt ihrem Manne von Otto Dege.

Frau Pöhl bestellt Blumen

Frau Pöhl geht ins Blumenhaus Molkte, um Blumen für Otto Dege zu bestellen.

Verkäuferin: Guten Morgen, Frau Pöhl. Womit kann ich dienen?
Frau Pöhl: Guten Morgen! Ich möchte gern Blumen für einen Kranken bestellen. Können Sie etwas vorschlagen?
Verkäuferin: Wir haben hier schöne Topfblumen: Tulpen, Alpenveilchen, Azalien . . .
Frau Pöhl: Was für Sorten Schnittblumen haben Sie?
Verkäuferin: Nelken, Teerosen und diese Frühlingsblumen.
Frau Pöhl: Die Frühlingsblumen sind prächtig und duften so herrlich. Würde ich für fünf Mark einen schönen Strauß bekommen?
Verkäuferin: Dafür hätten Sie einen netten Strauß.
(*Die Verkäuferin zeigt Frau Pöhl, wie viele Blumen sie für 5 Mark bekäme.*)
Frau Pöhl: Gut, schicken Sie ihn, bitte, an Herrn Otto Dege im Städtischen Krankenhaus!
Verkäuferin: Ist der junge Herr Dege krank?
Frau Pöhl: Jawohl, er hatte vor einigen Tagen eine Blinddarmoperation.
Verkäuferin: Das tut mir aber leid! Hoffentlich erholt er sich schnell.
Frau Pöhl: Legen Sie doch auch dieses Kärtchen bei!
(*Frau Pöhl reicht der Verkäuferin das Geld und auch das Kärtchen.*)
Verkäuferin: Danke schön! Ich besorge es sogleich. Auf Wiedersehen!
Frau Pöhl: Bitte schön! Auf Wiedersehen!
(*Frau Pöhl verläßt den Laden, schaut sich die Blumen im Schaufenster noch einmal an und geht dann weiter.*)

Fragen

1. Warum geht Frau Pöhl ins Blumengeschäft? 2. Zu welcher Tageszeit geschieht es? 3. Wer zeigt ihr Blumen? 4. Was für Blumen empfiehlt die Verkäuferin zuerst? 5. Wieviel gibt Frau Pöhl für die Blumen aus? 6. Was gibt sie der Verkäuferin zum Beilegen? 7. Was steht wohl auf dem Kärtchen? 8. Wann wird Otto Dege die Blumen bekommen? 9. Wo ist er?

Übungen

A. *Ergänzen Sie Fehlendes:*
   Wann bestellt man Blumen?
   - a) Man bestellt Blumen für d– Freund im Krankenhaus.
   - b) Man bestellt Blumen für d– Mutter zum Muttertag.
   - c) Man bestellt Blumen für d– Dame, mit der man zum Ball geht.
   - d) Man bestellt Blumen für d– Freund, der ein Geschäft eröffnet.

B. *Bilden Sie zusammengesetzte Wörter mit* –blumen: Garten–, Wiesen–, Feld–, Wald–, Treibhaus–, Schnitt–, Frühlings–, Sommer–, Herbst–, Winter–.

C. *Erklären Sie den Unterschied zwischen:* 1. Strauß und Sträußchen, 2. Feldblume und Treibhausblume, 3. Verkäuferin und Käuferin.

D. *Erklären Sie die Wörter:* Blumenstrauß, Blumentisch, Blumenhändler, Blumenhaus, Blumenfreund.

Aufgaben

1. Bestellen Sie telephonisch eine Gardenie für Ihre Freundin. 2. Erzählen Sie, wie Sie für Ihre Freundin einen Strauß bestellt haben. 3. Sie sind Zeitungsreporter und fragen eine Verkäuferin aus, wer Blumen bestellt und was für Blumen bestellt werden.

Vor dem Lichtspielhaus Atlantik

Fräulein Mintert will eben ins Kino — oder Lichtspielhaus — hineingehen, als sie Herrn Beil begegnet, der gerade herauskommt.

Herr B.: Guten Abend, Fräulein Mintert! Wenn ich das gewußt hätte!

Frl. M.: Das konnten Sie unmöglich wissen, denn ich wußte vor einer halben Stunde selbst nicht, daß ich ins Kino gehen würde.

Herr B.: Das Programm ist diesmal wirklich hervorragend!

Frl. M.: Das hat mir meine Freundin auch gesagt. Ist der Hauptfilm tatsächlich so gut?

Herr B.: Ausgezeichnet! Die Filmschauspielerin in der Hauptrolle ist schön und tüchtig, das sage ich Ihnen.

Frl. M.: Mich interessiert hauptsächlich der neue Schauspieler, den sie als Partner — als Mitspieler — hat.

Herr B.: Ja, ich muß zugeben, daß er auch Talent hat. Er wird bestimmt ein Star beim Film. — Das ganze Programm wird Ihnen gefallen, sogar die Wochenschau.

Frl. M.: Das freut mich! Ich muß mich jetzt aber beeilen, denn der Hauptfilm fängt gleich an.

Herr B.: Dürfte ich Ihnen schnell eine Eintrittskarte lösen?

Frl. M.: Danke sehr, ich habe schon eine. Ich habe einen Balkonplatz.

Herr B.: Balkon? Sitzen Sie lieber da, als im Parkett?

Frl. M.: Natürlich! — Sehen Sie, es ist doch besser, daß wir nicht zusammen ins Kino gehen.

Herr B.: Machen Sie keine Witze, Fräulein Mintert! Ich sitze ebenso gern oben. — Und ich lade Sie nun ein, übermorgen abend mit mir ins Kino zu gehen — ins Lichtspielhaus Schauburg. Abgemacht?

Frl. M.: Abgemacht! Aber telephonieren Sie vorher, bitte! Auf Wiedersehen!

Herr B.: Auf Wiedersehen! Viel Vergnügen!

(*Fräulein Mintert geht nun ins Kino, während Herr Beil auf die Straße geht, um dann mit dem Omnibus nach Hause zu fahren.*)

Fragen

1. Wo trifft Herr Beil Fräulein Mintert? 2. Was beabsichtigt Fräulein Mintert? 3. Was für einen Platz hat sie? 4. Wo hat wohl Herr Beil gesessen? 5. Wofür interessiert sich Fräulein Mintert hauptsächlich? 6. Was sagt Herr Beil von der Filmschauspielerin in der Hauptrolle? 7. Wann werden beide wieder ins Kino gehen? 8. In welches? 9. Wie kommt Herr Beil nach Hause?

Übungen

A. *Fehlendes ist einzusetzen:*
  1. Was interessiert uns?
     Uns interessiert d— neu— Film, d— groß— Schauspieler, d— berühmt— Schauspielerin, d— lang— Wochenschau, d— ganz— Programm.
  2. Wohin gehen wir zusammen?
     Wir gehen zusammen in — Kino, — — Park, — — Kirche, — — Wald; an — See (*lake*), — — See (*sea*); auf — Turm; unter — Baum; hinter — Haus; durch — Garten.
  3. Darf ich Sie einladen, mit mir — Kino zu gehen?
     Darf ich Sie einladen, mit mir — Tanz zu gehen?
     Darf ich Sie einladen, mit mir — Fußballspiel zu gehen?

Aufgaben

1. Erzählen Sie von Ihrem letzten Kinobesuch. 2. Fräulein Mintert erzählt, wie sie Herrn Beil getroffen hat. 3. Herr Beil erzählt von der Begegnung.

Reinhold will den Dom besichtigen

Reinhold steht im Domhof und spricht mit dem Küster (Kirchendiener).

Reinhold: Ich möchte den Dom besichtigen. Wieviel kostet der Eintritt?
Küster: Den Hauptteil des Domes dürfen Sie umsonst besichtigen.
Reinhold: Ich möchte aber auch das Chor, die Gemälde und die Schatzkammer besichtigen.
Küster: Dafür müssen Sie eine Besichtigungskarte (Eintrittskarte) zu 50 Pfennig kaufen.
Reinhold (*gibt dem Küster das Geld*): Bitte, eine Karte.
Küster: Die Besichtigung der sonst nicht zugänglichen Teile des Domes ist vormittags von 10 bis 11 Uhr und nachmittags von 3 bis 6 Uhr gestattet.
Reinhold: Dann darf ich noch nicht hineingehen?
Küster: Leider nicht! Es ist erst 9 Uhr, und der Dom ist also noch zum Teil geschlossen. Ich kann Ihnen aber diesen gedruckten Führer empfehlen. Sehen Sie sich den Hauptteil des Domes alleine an, und kommen Sie um 10 Uhr wieder!
Reinhold: Gern! Wieviel kostet der gedruckte Führer?
Küster: Eine Mark, bitte.
(*Reinhold gibt dem Küster das Geld und erhält den Führer.*)
Reinhold: Wo zeige ich meine Besichtigungskarte vor?
Küster: Um 10 Uhr steht ein Pförtner an jenem Eingang. Zeigen Sie ihm die Karte, und er führt Sie durch das Chor und die Schatzkammer.
Reinhold: Danke schön!
Küster: Bitte schön, auf Wiedersehen!

Reinhold (*für sich*): Ich freue mich, daß ich dieses Buch habe. Hier ist auch eine Karte von der Stadt, worauf alle Sehenswürdigkeiten angeführt sind. Ich kann mir alles alleine ansehen und brauche kein Geld für einen Fremdenführer auszugeben.

Fragen

1. Wo befindet sich Reinhold? 2. Zu wem spricht er? 3. Was darf man umsonst besichtigen? 4. Wieviel zahlt man für eine Eintrittskarte? 5. Was darf man sich dafür ansehen? 6. Wann darf man die nicht geöffneten Teile des Doms sehen? 7. Was verkauft der Küster außer den Eintrittskarten? 8. Warum ist es praktisch, einen gedruckten Führer zu haben? 9. Wer führt die Besucher durch die Schatzkammer? 10. Wieviel kostet ein gedruckter Führer?

Übungen

A. *Ergänzen Sie Fehlendes:*
1. Was ich möchte.
    Ich möchte d– Dom besichtigen, ein– gedruckt– Führer kaufen, d– groß– Schatzkammer besuchen, d– Bischof sprechen, d– Küster etwas geben, ein– Karte von der Stadt kaufen.
2. Ich freue mich, daß ich d– Dom gesehen habe.
    Ich bin froh, daß ich d– Altar und d– Gemälde sehen konnte.
3. Was ich mir gern ansehe.
    Ich sehe mir gern ein– alte Kirche an, aber auch ein mittelalterlich– Rathaus, ein– Burg, ein– Bildersammlung, ein historisch– Museum oder ein– Sammlung alt– Münzen.
4. Das Gegenteil von
    a) hinausgehen ist —, *b)* nachmittags ist —, *c)* Ausgang ist —, *d)* offen ist —.

Aufgaben

1. Nennen Sie Sehenswürdigkeiten Ihrer Stadt. 2. Erzählen Sie, wie Sie eine Kirche oder ein Museum besichtigt haben. 3. Der Küster erzählt von den Besuchern des Doms.

Henry schreibt einen deutschen Brief

Henry sitzt an seinem Schreibtisch. Vor ihm liegt ein Bogen Briefpapier. Er will schreiben. Es klopft.

Henry (*ruft*): Herein!

Gerhard (*tritt herein*): Guten Tag, Henry! Was machst du da?

Henry: Guten Tag, Gerhard! Du kommst wie gerufen! Ich habe einen deutschen Brief geschrieben. Der Text des Briefes ist fertig, denn ich habe schon viel Deutsch gelesen und geschrieben. Aber ich habe noch nie einen deutschen Brief gesehen. Kannst du mir helfen?

Gerhard: Gern! Rechts oben stehen der Ort und das Datum auf einer Zeile.

Henry: Gut! Ich schreibe: Rochester, den 15. September 1947.

Gerhard: Richtig! Dann läßt man eine oder zwei Zeilen frei und schreibt mitten auf die Zeile die Anrede: Sehr geehrter Herr!, Geehrter Herr Professor!, Gnädige Frau!, Gnädiges Fräulein!, Meine liebe Agnes!...

Henry: Genug! Genug! Ich schreibe an unseren Freund Ernst.

Gerhard: Schreibe dann einfach: Lieber Ernst!

Henry: Damit bin ich schon fertig. Wie schließt man solch einen Brief?

Gerhard: Darf ich den Brief sehen?

Henry: Bitte, schön, lies!

Gerhard (*liest*): „Für deinen freundlichen Brief danke ich dir..."

(*Gerhard macht ein Gesicht.*)

Henry: Was ist los, Gerhard?

Gerhard: Henry, im deutschen Briefstil schreibt man die

verschiedenen Formen von „du" und „ihr" und auch von „dein" und „euer" groß, das heißt mit großen Anfangsbuchstaben. Man schreibt: „Für *Deinen* freundlichen Brief danke ich *Dir* ..."

Henry: Ich danke dir, Gerhard!

Gerhard: Bitte schön, Henry! Jetzt schließen wir den Brief. Schreibe eine neue Zeile ohne Satzzeichen (Interpunktion): „Besonders herzlich grüßt Dich" und schreibe dann unten rechts: „Dein treuer Freund" und darunter deinen Namen! Da hast du die Schlußformel. Jetzt kannst du den ganzen Brief abschreiben, in einen Briefumschlag (ein Kuvert) stecken und zur Post tragen. Hier ist ein alter Briefumschlag aus Deutschland. Du siehst, die Deutschen schreiben die Adresse des Empfängers auf die Vorderseite des Umschlages, die Adresse des Absenders auf die Rückseite. — Aber ich bin doch nicht hierher gekommen, um über Briefe zu sprechen! Willst du heute Tennis spielen?

Henry: Gewiß will ich spielen! Setze dich dahin und lies die Zeitung! In drei Minuten bin ich mit dem Brief fertig. Dann fahren wir mit meinem Auto zum Park zu den Tennisplätzen.

(*Gerhard setzt sich und liest. Alles ist ruhig. Henry schreibt:*)

Rochester, den 15. Sept. 1947.

Lieber Ernst!

Für Deinen freundlichen Brief danke ich Dir ....

....

....

....

....

Besonders herzlich grüßt Dich

                      Dein treuer Freund
                      Henry.

```
            Herrn

         Ernst Müller

       Berlin-Wilmersdorf

         Kirchstraße 11
```

Henry (*springt vom Stuhl auf*): Fertig! Du kannst den Brief zumachen und die Briefmarke aufkleben. Wir stecken ihn in den Briefkasten an der nächsten Straßenecke. Ich hole meinen Tennisschläger, die Bälle und auch meine
5 Tennisschuhe.

(*Henry verläßt das Zimmer. Gerhard macht den Brief zu.*)

Gerhard: Da hat Henry vergessen „Germany" auf den Umschlag zu schreiben. Ich tue es für ihn.

Henry (*läuft ins Zimmer*): Also, das ging schnell! Vielen
10 Dank! Dafür kaufe ich dir nach dem Tennisspiel eine Portion Eis.

Fragen

1. Wer schreibt hier einen Brief? 2. Wer hilft ihm? 3. Warum fragt Henry soviel? 4. Was schreibt man oben rechts? 5. Was ist anders als im englischen Brief? 6. Welche Anreden kennen Sie? 7. Wie schreibt man die Pronomen für die angeredete Person? 8. Wie schließt man den Brief? 9. Wohin schreibt man den Absender? 10. Wie unterscheidet sich die deutsche Briefadresse von der amerikanischen?

Übungen

A. *Lesen Sie das Ganze so, daß Sie überall „Sie" statt „Du" gebrauchen!*

B. *Fehlendes ist zu ergänzen:*

   1. An wen schreiben wir einen Brief?
      Wir schreiben einen Brief an d— Vater, d— Mutter, d—

Freund, d*ie* Freundin, d*en* Bruder, d*en* Kriegskameraden,
d*ie* Papierhandlung, d*en* Pastor.
2. Was darf nicht fehlen?
   a) In einem Brief darf d*en* Ort, d*as* Datum, d*ie* Anrede, d*en* Schluß nicht fehlen.
   b) Auf dem Briefumschlag darf d*ie* Adresse, d*en* Absender, d*ie* Briefmarke nicht fehlen.
C. Was geschieht mit dem Brief?
In der Beantwortung dieser Frage sind die folgenden Verben und Redewendungen zu benutzen: schreiben, lesen, durchlesen, verbessern, falten, zur Post tragen, in den Kasten werfen, abholen, stempeln, abliefern, zerreißen, aufheben, in den Papierkorb werfen. (Der Brief wird geschrieben . . .)

Aufgaben

1. Erzählen Sie, wie sich der deutsche Brief von einem amerikanischen unterscheidet. 2. Gerhard erzählt, wie ein deutscher Brief geschrieben werden muß. 3. Schreiben Sie einen Brief und benutzen Sie dazu Briefbogen und Umschlag.

Am Briefmarken-Schalter

Gertrud ist auf der Post. Sie steht an Schalter Nummer fünf, wo man Briefmarken verkauft. Sie hält drei Briefe und zwei Postkarten in der Hand und wartet auf den Beamten, der beschäftigt ist.

Beamter: Bitte?

Gertrud: Drei Briefmarken zu zwölf Pfennig und zwei zu sechs, bitte.

Beamter (*gibt sie ihr*): Drei zu zwölf und zwei zu sechs,
5 macht zusammen achtundvierzig Pfennig.

(*Gertrud legt ein Fünfzigpfennigstück hin und reicht dem Schalterbeamten einen der drei Briefe.*)

Gertrud: Ist dieser Brief zu schwer?

(*Der Beamte legt ihn auf die Briefwaage.*)

10 **Beamter:** Jawohl, über zwanzig Gramm. Da müssen Sie noch eine Marke zu zwölf Pfennig draufkleben, und das macht zusammen sechzig Pfennig.

(*Gertrud holt eine Mark aus ihrer Handtasche und gibt sie dem Beamten. Er legt vier Zehnpfennigstücke hin.*)

15 **Beamter:** Sechzig und vierzig macht eine Mark. Stimmt's?

Gertrud (*nimmt die 40 Pfennig*): Jawohl.

Beamter: Vergessen Sie aber das Fünfzigpfennigstück nicht!

Gertrud (*steckt es ein*): Danke vielmals!

(*Gertrud geht an das Schreibpult, klebt die Briefmarken auf
20 und sieht noch einmal nach, ob Absender und Adresse richtig geschrieben sind. Dann steckt sie die Briefe und Karten in den Briefkasten oder in den Briefeinwurf.*)

Fragen

1. Wo befindet sich Gertrud? 2. Was will sie dort? 3. Was hält sie in der Hand? 4. Mit wem spricht sie? 5. An welchem Schalter ist er? 6. Was fordert sie? 7. Wieviel hat sie zu be-

zahlen? 8. Was will sie von dem Schalterbeamten wissen? 9. Was tut der Beamte mit dem Brief? 10. Was tut Gertrud mit den Briefen?

Übungen

A. *Fehlendes ist zu ergänzen:*
  1. An wen schreiben Sie Briefe?

     Ich schreibe an d– Eltern, an d– Freund, an d– Freundin, an mein– Onkel, an d– Präsidenten, an viel– Leute.
  2. Von wem erhalten Sie Briefe?

     Ich bekomme Briefe von mein– Vater, von mein– Mutter, von etlichen mein– Freunde, von mein– Schwester, von uns– Nachbar.
  3. Wen sieht man auf der Post?

     Man sieht ein– Beamten, d– Briefmarken verkauft, ein– Mann, d– viele Briefe bringt, ein Mädchen, d– für 10 Pfennig Postkarten kauft, ein– Jungen, d– Briefe in d– Briefkasten steckt, ein– Briefträger, d– mit leerer Tasche von sein– Gang zurückkommt.
  4. Was darf man nicht vergessen?

     Man darf nicht d– Adresse, d– Absender, d– Briefmarke, d– Geld vergessen.

Aufgaben

1. Erzählen Sie, wie Sie einmal auf dem Postamt waren. 2. Beschreiben Sie das Innere des Postamts. 3. Erzählen Sie, wie man Briefmarken kauft. 4. Beschreiben Sie den Weg zu unserm Postamt.

Kuno bestellt eine Zeitschrift

Kuno sitzt an seinem Schreibtisch auf seinem Zimmer. Leo klopft an die Tür.

Leo: Guten Tag, Kuno! Wie kannst du an einem freien Nachmittag auf deinem Zimmer sitzen und arbeiten?

Kuno: Ich bin gleich fertig und gehe dann mit dir nach draußen. Möchtest du mit mir zum Postamt gehen?

5 **Leo:** Du schreibst wohl wieder einen Brief? Einen deutschen Brief?

Kuno: Ich bestelle eine Zeitschrift — die „Jugendpost". Ich habe sie schon zwei Jahre lang im Deutschunterricht gelesen. Nun will ich selber darauf abonnieren.

10 **Leo:** Was bedeutet „abonnieren"?

Kuno: Das solltest du wissen. Du hast doch auch Französisch gelernt und „abonnieren" ist ein französisches Wort. Es bedeutet „beziehen" oder „vorausbestellen".

Leo: Aber warum mußt du deutsch schreiben?

15 **Kuno:** Ich muß es nicht. Die „Jugendpost" ist aber eine deutschsprachige Zeitschrift, und ich brauche die Übung im Deutschschreiben.

Leo: Ich schalte deinen Radioapparat ein, während ich warte.

20 **Kuno:** Nicht nötig. Ich schreibe schon die Adresse auf den Briefumschlag. Du kannst diese Briefmarke aufkleben, während ich den Brief zusammenfalte.

Leo: Du kannst die Marke selber aufkleben. Ich möchte mir den Brief ansehen.

25 **Kuno:** Du darfst ihn auch lesen, Leo. Ich habe ihn genau so geschrieben, wie der Lehrer es mir erklärt hat. (*Leo sieht sich den Brief an:*)

46

> Buffalo (N. Y.), den 15. Nov. 46
> Lincolnstr. 17
>
> An die
> „Jugendpost"
> Rochester (N. Y.)
>
> Andrewsstr. 237
>
> Hiermit bestelle ich ab September 1947 die „Jugendpost", die während des Schuljahres monatlich (von September bis Juni) erscheint. Den Jahresbezugspreis, 1 Dollar für zehn Nummern, lege ich bei.
>
> Hochachtungsvoll
> Kuno Winterberg

Leo: Hast du die Adresse auf dem Umschlag auch deutsch geschrieben?

Kuno: Auf keinen Fall! Ich habe sie so geschrieben, wie es in Amerika üblich ist. Im Briefe selbst habe ich sie aber so geschrieben, wie man es in Deutschland macht.

Leo: Na, dann können wir zur Post gehen und deinen Brief einstecken.

Kuno: Jawohl, und unterwegs können wir uns überlegen, was wir heute nachmittag noch tun wollen.

(Beide Jungen verlassen das Zimmer, um den Brief auf die Post zu tragen.)

Fragen

1. Was tut Kuno? 2. Welche Tageszeit ist es? 3. Wer kommt zu ihm? 4. Worüber wundert sich dieser? 5. Warum schreibt Kuno einen Brief? 6. Was ist die „Jugendpost"? 7. Warum will Kuno sie bestellen? 8. Warum schreibt er den Brief auf deutsch? 9. Wie schreibt er die Adresse? 10. Was wollen beide auf dem Wege zur Post überlegen?

Übungen

A. *Setzen Sie Fehlendes ein:*
 1. Was man bestellt.
    Man bestellt ei– Zeitschrift oder ei– Buch beim Buchhändler, Kohlen bei d– Kohlenhändler, Blumen beim —, Obst und Gemüse beim —.
 2. Möchtest du mit mir zum Postamt gehen?
    a) Möchtest du mit mir — Park gehen?
    b) Möchtest du mit mir — Kirche gehen?
    c) Möchtest du mit mir — Sportplatz gehen?
 3. Ich sehe mir den Brief —, klebe die Briefmarke —, schreibe die Adresse —, schalte den Radioapparat —, setze mich zum Lesen —.

Aufgaben

1. Erzählen Sie, wie man eine Zeitschrift bestellt. 2. Erzählen Sie, wie man einen deutschen Brief schreibt.

Der Briefkasten

Ein Ausländer möchte in Deutschland einen Brief mit der Post schicken. Er weiß nicht, wo ein Briefkasten ist, und bittet daher einen Herrn an der Straßenecke um Auskunft.

Ausländer: Bitte, können Sie mir sagen, wo hier in der Nähe ein Briefkasten ist?

Deutscher: Jawohl, da schräg gegenüber an dem Gebäude.

Ausländer: Es tut mir leid, ich sehe ihn aber nicht.

Deutscher: Ja, Sie schauen jetzt quer über die Straße. Ich habe schräg gegenüber gesagt. (*Er zeigt mit dem Finger.*) Sehen Sie dort den blauen Kasten an der Wand des Eckgebäudes?

Ausländer: Jawohl, danke schön!

Deutscher: Der gelbe Kasten ist für die Luftpost, der blaue ist für die gewöhnliche Post.

Ausländer: Wissen Sie, wann der blaue Briefkasten geleert wird?

Deutscher: Leider nicht. Das sehen Sie aber auf dem kleinen Schild am Briefkasten. Ich gehe mit und zeige es Ihnen.

(*Die beiden Herren gehen quer über die eine Straße und dann links über die andere. Sie treten an den Briefkasten, und der Deutsche sieht nach, wann die Post abgeholt wird.*)

Deutscher: Nächste Leerung 18 Uhr.

(*Der Ausländer schaut auf seine Armbanduhr.*)

Ausländer: Es ist 5 Minuten vor 6.

Deutscher: Da haben Sie Glück gehabt. Der Kasten wird in 5 Minuten geleert. Achten Sie aber auch auf dieses Schild: Aufschrift und Marke nicht vergessen!

Ausländer: Ich habe die richtige Briefmarke aufgeklebt und die Adresse auch richtig geschrieben. Hinter dem Ortsnamen steht sogar die Nummer des Stadtteils.

Deutscher: Die garantiert für schnelle Bestellung.
(*Der Ausländer steckt den Brief in den Briefkasten.*)
Ausländer: Ich danke Ihnen vielmals für Ihre Mühe.
Deutscher: Gern geschehen! Auf Wiedersehen!
Ausländer: Auf Wiedersehen!
(*Jeder der beiden Herren lüftet den Hut, und sie gehen in entgegengesetzter Richtung weiter.*)

Fragen

1. Wer unterhält sich hier? 2. Wo unterhalten sie sich? 3. Wonach fragt der Ausländer? 4. Wo ist der Briefkasten? 5. Welche Farbe hat der Briefkasten für Luftpost? 6. Was für Post wirft man in den blauen Briefkasten? 7. Wie kann man erfahren, wann der Briefkasten geleert wird? 8. Worauf muß man achten, ehe man einen Brief in den Kasten wirft? 9. Was tun der Deutsche und der Ausländer, als sie sich trennen?

Übungen

A. *Setzen Sie Fehlendes ein:*
  1. Um was man bittet.
     Man bittet um Auskunft, um ei– Glas Wasser, ei– Briefmarke, ei– Pfund Äpfel, ei– Bleistift, d– neuste Zeitung.
  2. Wie man um Auskunft bittet.
     a) Können Sie mir sagen, wo d– Bahnhof ist?
     b) Können Sie mir sagen, was d– Fahrt kostet?
     c) Können Sie mir sagen, wie lange d– Fahrt dauert?
  3. Das Gegenteil von
     a) Unglück ist —, *b)* füllen ist —, *c)* sich erinnern ist —.
  4. Wo sehen wir Schilder?
     Am Briefkasten, an d– Gebäude, an d– Straßenecke, an d– Geschäft, an d– Tür des Arztes, über d– Ladentür, neben d– Haustür.

B. *Erklären Sie die folgenden zusammengesetzten Wörter:* Briefkasten, Handschuhkasten, Brotkasten, Geldkasten, Blumenkasten, Schaukasten, Werkzeugkasten.

C. *Übersetzen und erklären Sie die folgenden Aufschriften von Schildern:*

1. Aufschrift und Marke nicht vergessen! 2. Das Betreten des Rasens ist verboten! 3. Hinauslehnen aus dem Fenster verboten! 4. Parken verboten! 5. Hunde sind an der Leine zu führen! 6. Es wird gebeten, die Backwaren nicht zu berühren! 7. Schont die Zugtiere!

Aufgaben

1. Beschreiben Sie einen amerikanischen Briefkasten. 2. Der Ausländer erzählt seinem Sohn von den deutschen Briefkästen.

Herr Schulz schickt ein Telegramm

I

Herr Schulz ist auf der Reise in einer fremden Stadt. Er will seine Frau telegraphisch benachrichtigen, wann er nach Hause kommt. Er ist schon im Telegraphenamt.

Schulz (*zum Telegraphenbeamten*): Bitte, geben Sie mir ein Telegrammformular!

Beamter (*gibt ihm das Formular*): Bitte schön! Sie können es da drüben an dem Schreibpult ausfüllen.

5 **Schulz:** Danke sehr!

(*Herr Schulz geht an das Schreibpult und füllt das Telegrammformular aus, dann geht er an den Schalter zurück.*)

Schulz (*überreicht dem Beamten das ausgefüllte Formular*): Bitte schön!

10 **Beamter:** Möchten Sie es als Brieftelegramm oder als gewöhnliches Telegramm aufgeben?

Schulz: Ein Brieftelegramm würde erst morgen früh mit der Post ins Haus gebracht werden, nicht wahr?

Beamter: Jawohl.

15 **Schulz:** Diese Nachricht muß heute abend ankommen.

Beamter: Dann geben Sie sie am besten als dringendes Telegramm auf. (*Er zählt die Wörter und rechnet.*) Drei Mark, bitte!

Schulz (*überreicht dem Beamten einen Fünfmarkschein*): Gut!
20 Und ich kann mich darauf verlassen, daß die Depesche heute abend noch ins Haus gebracht wird?

Beamter (*gibt Herrn Schulz das Wechselgeld*): Sie können sich darauf verlassen.

Schulz: Danke vielmals!

Frau Schulz sitzt im Lehnsessel im Wohnzimmer und strickt an einem Strumpf. Gertrud, die Tochter, sitzt am Radio. Es klingelt.

Gertrud (*stellt das Radio ab*): Ich gehe zur Tür, Mutter.
Mutter: Danke, ich gehe lieber selbst.
(*Sie öffnet die Tür.*)
Telegraphenbote: Guten Abend! Telegramm für Frau Schulz!
Mutter: Ja, ich bin Frau Schulz.
Telegraphenbote: Unterschreiben Sie hier, bitte!
(*Sie unterschreibt.*)
Mutter: Einen Augenblick, bitte!
(*Sie geht ins Wohnzimmer, holt ihre Handtasche und gibt dem Boten ein Trinkgeld.*)
Telegraphenbote: Danke bestens! Auf Wiedersehen!
Mutter: Auf Wiedersehen! (*Sie kommt ins Zimmer und öffnet das Telegramm.*) Eine Depesche vom Vater! (*Sie liest.*) Ankomme dreizehn Uhr Dienstag ...
Gertrud: O wie schön! Vater kommt schon morgen nachmittag um ein Uhr an!
Mutter: Jawohl, mein Kind!
Gertrud: Darf ich das Telegramm lesen, bitte?
Mutter (*steckt es in die Handtasche*): Nein, es ist doch für mich. Warum bist du so neugierig?
Gertrud: Ich merke schon! Morgen habe ich Geburtstag, und Vater will mich irgendwie überraschen, nicht wahr?
Mutter: Nur keine voreiligen Schlüsse ziehen.
Gertrud (*stellt das Radio wieder an*): Das tue ich nicht. Ich freue mich aber, daß Vater zu meinem Geburtstag zu Hause sein kann und wir den Tag zusammen feiern können.
(*Frau Schulz nimmt ihr Strickzeug wieder zur Hand, und Gertrud hört Radio.*)

Fragen

1. Wo befindet sich Herr Schulz? 2. An wen will er telegraphieren? 3. Was läßt er sich von dem Beamten geben? 4. Was für ein Telegramm schickt Herr Schulz? 5. Warum schickt er kein Brieftelegramm? 6. Wer bringt die Brieftelegramme? 7. Wer bringt das Telegramm ins Haus? 8. Was bekommt der Telegraphenbote?

Übungen

A. *Setzen Sie Fehlendes ein:*
1. Wann schickt man ein Telegramm?
    a) Man schickt ein Telegramm, wenn — Mutter Geburtstag hat.
    b) Man schickt ein Telegramm, wenn — Vater Geld schicken soll.
    c) Man schickt ein Telegramm, wenn — Freund Hochzeit hat.
    d) Man schickt ein Telegramm, wenn für ein- Brief d- Zeit zu kurz ist.
2. Was man schickt.
    Man schickt — Paket, — Brief, — Postkarte, — Boten, — Blume, — Blumenstrauß.

B. *Zerlegen Sie die folgenden Hauptwörter in ihre Teile und geben Sie die Bedeutung jedes Teiles an:* Fünfmarkschein, Telegraphenamt, Telegraphenbeamter, Wechselgeld, Hochzeitstelegramm, Geburtstagstelegramm, Glückwunschtelegramm.

Aufgaben

1. Schreiben Sie den Text eines Telegramms, in welchem Sie Ihren Vater um Geld bitten. 2. Ein Telegraphenbote erzählt, wie er ein gutes Trinkgeld bekommen hat. 3. Herr Schulz erzählt, wann, wo und wie er das Telegramm geschickt hat.

Wie man Auto fährt

Kurt Beil holt Klara Merz mit dem Auto ab, damit sie mit ihm zur Universität fahren kann, wo beide studieren. Herr Beil öffnet die Wagentür, damit Fräulein Merz einsteigen kann.

Herr B.: Nun, möchten Sie es wieder wagen, in diese alte Kiste einzusteigen und mitzufahren, Fräulein Merz?
(*Frl. Merz tritt aufs Trittbrett und steigt in den Wagen ein.*)
Frl. M.: Das sollten Sie nicht sagen! Sie haben ein nettes Auto!
Herr B.: Na, man kann schon damit fahren.
(*Herr Beil schließt die Tür, geht um den Wagen herum, steigt an der anderen Seite ein und setzt sich auf den Führersitz.*)
Frl. M.: Jetzt müssen Sie mir einmal erklären, wie man Auto fährt!
Herr B.: Gern, aber dabei möchte ich auch ein paar Fragen stellen. Die erste Frage: Was ist das deutsche Wort für Automobil?
Frl. M.: Der Kraftwagen.
Herr B.: Und wo sitze ich?
Frl. M.: Hinter dem Steuerrad.
Herr B.: ... oder Lenkrad. Und was macht man damit?
Frl. M.: Man steuert oder lenkt das Auto damit.
Herr B.: Da in dem Schlüsselloch steckt ein Schlüssel. Was mache ich damit?
Frl. M.: Sie haben ihn da eingesteckt, jetzt müssen sie ihn umdrehen, aber was dabei geschieht, weiß ich nicht.
Herr B.: So schaltet man die Zündung ein. Jetzt drücke ich auf diesen Knopf, der elektrische Anlasser setzt sich in Bewegung, und der Motor springt an.
Frl. M.: Anlasser?
Herr B.: ... oder Starter. Das ist der elektrische Apparat, womit man den Motor anläßt oder startet.

Frl. M.: Aber jetzt schnell weitererklären, denn wir müssen fahren!

Herr B.: Natürlich müssen wir fahren. Jetzt löse ich die Handbremse, trete mit dem linken Fuß auf das Kupplungspedal, um die Kupplung auszuschalten, und nun schalte ich mit diesem Schalthebel den Rückwärtsgang ein. Nun fahren wir schon!

(*Herr Beil fährt den Wagen rückwärts durch die Einfahrt auf die Straße.*)

Frl. M.: Jetzt müssen Sie aber schnell bremsen!

Herr B.: Schon getan! Der Schalthebel ist jetzt auf Leerlauf gestellt. Nun schalte ich den ersten Gang, ... den zweiten Gang ... und zuletzt den dritten Gang ein.

Frl. M.: Geben Sie jetzt Gas, bitte! Sonst kommen wir zu spät auf der Universität an.

Herr B.: Da ist der Geschwindigkeitsmesser, passen Sie auf, damit wir nicht zu schnell fahren!

Frl. M.: Fahren Sie nur vorsichtig!

Herr B.: Soll ich noch mehr erklären?

Frl. M.: Heute nicht! Aber ich wünschte doch, daß ich Auto fahren könnte.

Herr B.: Das können Sie leicht lernen.

Frl. M.: Das glaube ich schon. Aber jetzt muß ich etwas in diesem Lehrbuch der organischen Chemie nachlesen.

Herr B.: Dann möchte ich Sie nicht weiter stören.

(*Herr Beil fährt das Auto, und Fräulein Merz liest in ihrem Chemie-Lehrbuch, bis sie die Universität erreichen.*)

Fragen

1. Was sind Kurt Beil und Klara Merz? 2. Wo studieren sie? 3. Wie nennt Kurt sein Auto? 4. Wie nennt es Klara Merz? 5. Wohin setzt sich Kurt Beil? 6. Wie schaltet er die Zündung ein? 7. Wie setzt er den Kraftwagen in Bewegung? 8. Wie wird die Kupplung eingeschaltet? 9. Was tut der Autofahrer

mit der Hand? 10. Was tut er mit dem Fuß? 11. Wozu dient das Kupplungspedal? 12. Wie weiß der Fahrer, ob er zu schnell fährt? 13. Was tut ein vorsichtiger Autofahrer? 14. Wie wird gebremst? 15. Warum muß ein Autofahrer gut sehen können?

Übungen

A. *Erklären Sie:* Steuerrad, Lenkrad, Vorderrad, Hinterrad, Fahrrad, Dreirad; einsteigen, aussteigen; einschalten, ausschalten; Vorwärtsbewegung, Rückwärtsbewegung.

B. *Fehlendes ist zu ergänzen:*
1. Wohin setzt sich Kurt Beil?
   Er setzt sich auf — Führersitz, hinter — Steuerrad, auf — Bank, auf — Sofa, auf — Erde, in — Gras.
2. Das Loch für den Schlüssel ist ein Schlüsselloch.
   a) Das Rad zum Steuern ist — —.
   b) Der Hebel zum Schalten ist — —.
   c) Zum Messen der Geschwindigkeit dient — —.

C. *Nennen Sie verwandte Wörter zu den folgenden Verben:* bremsen (die Handbremse), kuppeln, schalten, steuern, treten, zünden.

Aufgaben

1. Machen Sie eine Liste von Wörtern, die Teile des Autos bezeichnen. 2. Nennen Sie Verben, die sagen, was der Kraftwagenführer tut. 3. Erzählen Sie, wie man einen Kraftwagen in Bewegung bringt. 4. Erzählen Sie von Ihrem Auto.

Kurt fährt zur Tankstelle

Kurt Beil fährt seinen Wagen zur Tankstelle und hält neben der Tankpumpe.

Tankwart: Guten Tag! Womit kann ich dienen?
Kurt: Füllen Sie den Tank, bitte!
Tankwart: Gern! Ich freue mich, daß wir jetzt nach dem Kriege wieder Benzin genug haben, unsere Kunden zufriedenzustellen.
Kurt: Hoffentlich bekommen wir auch eine bessere Qualität Kraftstoff. In letzter Zeit habe ich oft Anlaßschwierigkeiten gehabt.
Tankwart: Vielleicht ist der Vergaser falsch eingestellt.
Kurt: Nein, bestimmt nicht! Es liegt nur am Benzin.
(*Nachdem der Tankwart den Kraftstoffbehälter gefüllt hat, wischt er die Schutzscheibe ab.*)
Kurt: Bitte sehen Sie nach, ob genug Wasser im Kühler ist!
(*Der Tankwart füllt Wasser nach.*)
Tankwart: Fahren Sie, bitte, Ihren Wagen zur Luftpumpe, damit ich auch die Reifen nachprüfen kann.
Kurt: In dem linken Vorderreifen ist nicht genug Luft. Alle Reifen müssen wohl stärker aufgepumpt werden — auch der Reservereifen.
(*Kurt fährt das Auto zur Luftpumpe hin, und der Tankwart sieht die ganze Bereifung nach.*)
Tankwart: Soll ich auch destilliertes Wasser in die Batterie einfüllen?
Kurt: Danke, heute nicht. Sie brauchen auch nicht den Ölstand nachzuprüfen.
Tankwart: Warten Sie nur nicht zu lange damit, denn ohne Öl läuft kein Motor!
Kurt: Ich komme morgen wieder und lasse den Wagen

schmieren und das Öl wechseln. Hier ist das Geld fürs Benzin.
Tankwart: Danke schön und auf Wiedersehen!
Kurt: Bitte schön, auf Wiedersehen!
(*Kurt läßt den Motor an und fährt nach Hause.*)

Fragen

1. Mit wem unterhält sich Kurt? 2. Wo findet die Unterhaltung statt? 3. Von was für Schwierigkeiten erzählt Kurt dem Tankwart? 4. Was sieht er als die Ursache der Schwierigkeiten an? 5. Was glaubt der Tankwart? 6. Was tut der Tankwart, nachdem er den Kraftstoffbehälter gefüllt hat? 7. Was wünscht Kurt dann? 8. Warum müssen die Reifen aufgepumpt werden? 9. Warum soll der Tankwart nicht den Ölstand nachprüfen? 10. Wann will Kurt wiederkommen? 11. Was soll der Tankwart dann tun?

Übungen

A. *Fehlendes ist zu ergänzen:*
Was der Tankwart tut.
   Er (füllen) — d- Tank mit Kraftstoff, (nachsehen) — —, ob genug Wasser im Kühler ist, (aufpumpen) — die Reifen —, (prüfen) — d- Ölstand, (abwischen) — die Schutzscheibe —, (schmieren) — d- Wagen, (nehmen) — das Geld, (wünschen) — eine glückliche Fahrt.
B. *Erklären Sie die Wörter:* Vorderreifen, Hinterreifen, Reservereifen, Schutzscheibe, Schutzbrille, Kühler, Kühlerfigur, Ersatzrad, Notrad.
C. *Erklären Sie den Unterschied zwischen:* 1. Tankpumpe und Luftpumpe, 2. Tankwart und Tankstelle, 3. Kühlwasser und Wasserkühler.

Aufgaben

1. Ein Tankwart erzählt von seiner Tagesarbeit. 2. Kurt erzählt von der guten Bedienung auf der Tankstelle.

Kurt ruft zu Hause an

Kurt Beil hat eine Reifenpanne. Er ist in der Nähe einer Reparaturwerkstatt und läßt den beschädigten Reifen sofort reparieren. Jetzt steht er am Telephon (Fernsprecher), nimmt den Hörer ab und will seine Mutter anrufen. Die Leitung ist besetzt, so legt er den Hörer auf und wartet. Dann versucht er wieder anzurufen.

Telephonfräulein: Hier Amt!
Kurt: Hansa 7263, bitte!
(Kurt wartet, bis die Verbindung hergestellt ist. Er hört dann die Stimme seines Bruders Ernst.)
5 **Ernst:** Hier Beil! Wer dort?
Kurt: Hallo! Hier Kurt! Ich möchte Mutter sprechen.
Ernst: Einen Augenblick, Kurt! Sie ist eben in der Küche. Ich rufe sie.
(Kurt wartet einige Augenblicke.)
10 **Mutter:** Hallo! Wo bist du, Kurt?
Kurt: Ich bin in einer Reparaturwerkstatt.
Mutter: Hast du Motorschaden gehabt?
Kurt: Nein, nur eine kleine Reifenpanne.
Mutter: Wohl an dem alten Vorderreifen, nicht wahr?
15 **Kurt:** Jawohl, und ich lasse den Schaden sofort reparieren. Bitte, wartet nicht mit dem Essen!
Mutter: Wir müssen sowieso warten. Vater hat angerufen und gesagt, daß er aufgehalten worden ist und erst in einer Stunde kommen wird.
20 **Kurt:** Dann habe ich ja Zeit, den Schlauch flicken zu lassen und auch dem Kühlwasser ein Gefrierschutzmittel zusetzen zu lassen.
Mutter: Gewiß! Und lasse noch überall Reifenluft nachfüllen!

Kurt: Natürlich, Mutter! Du kannst dich darauf verlassen, daß alles richtig gemacht wird und ich sobald wie möglich nach Hause komme.
Mutter: Du brauchst dich nicht zu beeilen, denn du hast doch Zeit, bis Vater auch nach Hause kommt.
Kurt: Gut! Auf Wiedersehen!
Mutter: Ja, bis nachher, Kurt. Mach's gut!

(*Kurt verläßt das Telephon und geht wieder in die Autowerkstatt. Die Mutter hängt den Hörer an und geht wieder in die Küche.*)

Fragen

1. Wo ist Kurt? 2. Warum ist er dort? 3. Wen ruft er an? 4. Warum kann er nicht sogleich mit der Mutter sprechen? 5. Wer antwortet ihm zuerst? 6. Wen ruft Ernst? 7. Was berichtet Kurt seiner Mutter? 8. Warum wird später gegessen werden? 9. Was beweist, daß das Gespräch im Winter stattfindet? 10. Was zeigt, daß Kurt gut erzogen ist?

Übungen

A. *Beenden Sie die folgenden Sätze:*
  1. Du kannst dich darauf verlassen, daß —. 2. Wir brauchen uns nicht zu beeilen, denn —. 3. Ich werde versuchen, —. 4. Fritz kann nicht zum Fernsprecher kommen, denn —.

B. *Ergänzen Sie Fehlendes:*
Worauf wir warten.
  Wir warten auf d– Vater, auf d– Mutter, auf d– Freundin, auf d– Freunde, auf ein– Brief, auf ein– Telephonanruf, auf ein– Nachricht.

C. *Nennen Sie Hauptwörter, die mit den folgenden Verben verwandt sind:* kühlen, frieren, reparieren, hören, sprechen.

D. *Erklären Sie die Bedeutung der folgenden Wörter:* Fernsprechbuch, Fernsprechamt, Fernsprechnummer, Wandfernsprecher, Tischfernsprecher, Fernsprechfräulein.

Aufgaben

1. Erzählen Sie, wie Kurt zu Hause anruft.   2. Erzählen Sie, wie Sie einen Freund deutsch anrufen würden.   3. Schreiben Sie ein Telephongespräch auf, in welchem Sie einen Freund fragen, was die Aufgabe für die nächste Deutschstunde ist.

Wir müssen das Auto in gutem Stande erhalten

Walter fährt das Auto in die Garage und kommt ins Haus. Der Vater sitzt im Wohnzimmer und liest die Zeitung.

Vater: Walter, du bist wieder sehr schnell von der Straße in die Einfahrt und die Garage gefahren. Du weißt doch, daß du nicht über 30 Meilen die Stunde und noch viel langsamer um die Ecken fahren sollst. Und du sollst den Wagen auch nicht so plötzlich zum Stillstand bringen!

Walter: Ich weiß das alles, Vater, aber ich kann mich so schlecht daran gewöhnen.

Vater: Je schneller du dich daran gewöhnst, je länger können wir Auto fahren. Vorläufig gibt es kein neues Auto und auch keine neuen Reifen. Und noch etwas: wir müssen das Auto in gutem Stande erhalten. Wann hast du es zum letztenmal zur Tankstelle gefahren und nachsehen lassen?

Walter: Ich weiß nicht mehr, es steht auf dem kleinen Zettel, den der Tankwart auf das Instrumentenbrett geklebt hat.

Vater: Ich denke, du solltest morgen nachmittag wieder hinfahren. Was wirst du dann machen lassen?

Walter: Ich lasse das Auto schmieren (abschmieren), die Bereifung nachsehen ...

Vater: Und wenn der Tankwart die Reifen aufpumpt, muß er den Luftdruck genau prüfen. Die Reifen soll er dann auch wechseln, die Vorderreifen nach hinten und die Hinterreifen nach vorne nehmen.

Walter: Dann lasse ich noch destilliertes Wasser in die Batterie einfüllen.

Vater: Das wird sowieso gemacht. Lasse aber das Öl im Motor wechseln!

Walter: Und wieviel Benzin (Gasolin) soll ich tanken?

Vater: Natürlich denkst du immer an das Gasolin. Du sollst das Auto nicht mehr soviel fahren, du kannst dein Fahrrad herausholen und damit fahren. Du darfst den Behälter aber dreiviertel füllen lassen.

Walter: Gut, es wird gemacht. (*Er geht ans Radio.*)

Vater: Setze dich jetzt nicht gleich ans Radio, mache dich lieber an deine Schularbeit!

Walter: Gut, das wird auch gemacht! (*Er verläßt das Zimmer.*)

Fragen

1. Wer unterhält sich hier? 2. Wo ist der Vater? 3. Woher kommt Walter? 4. Was tadelt der Vater? 5. Wie entschuldigt sich Walter? 6. Wann soll er zur Tankstelle fahren? 7. Was soll er dort? 8. Warum will der Vater das Auto gut im Stande halten? 9. Warum soll Walter öfter das Fahrrad benutzen? 10. Warum soll er sich nicht ans Radio setzen?

Übungen

A. *Setzen Sie Fehlendes ein:*
   1. Ich kann — so schlecht an das Langsamfahren gewöhnen. 2. Ich setze — gern an das Radio. 3. Ich mache — ungern an meine Schularbeiten. 4. Ich freue — auf die Autofahrt. 5. Ich erkundige — nach dem Wege und begebe — zur nächsten Stadt.

B. *Beginnen Sie die Sätze mit den kursiv gedruckten Wörtern:*
   1. Er fährt *langsam* um die Ecke. 2. Die Einfahrt zur Garage ist *lang*. 3. Wenn der Tankwart die Reifen aufpumpt, muß er *den Luftdruck* prüfen. 4. Er soll *die Hinterreifen* nach vorn nehmen.

C. *Nennen Sie die Verben zu den folgenden Hauptwörtern:* die Gewohnheit, der Wechsel, die Fahrt, die Prüfung, die Tankstelle.

Aufgaben

1. Walter erzählt dem Vater, daß er zur Tankstelle gewesen ist.
2. Der Tankwart berichtet, was er mit dem Auto getan hat.
3. Die Arbeiten eines Tankwarts. 4. Wenn ich Tankwart wäre.

Der Rasen muß gemäht werden

Familie Freytag sitzt beim Frühstück. Der vierzehnjährige Sohn Klaus will gerade vom Tische aufstehen, um in die Schule zu gehen.

Vater: Klaus, der Rasen muß gemäht werden. Könntest du's heute nachmittag tun?

Klaus: Heute nicht, Vater, denn ich habe Frau Engel versprochen, ihren Rasen nach der Schule zu mähen. — Und dafür werde ich bezahlt.

Vater: Nun, das verstehe ich schon, aber unseren Rasen müssen wir auch kurz halten. Wir sind doch so stolz auf unsere gutgepflegten Grasflächen vor und hinter dem Hause.

Mutter: Klaus hat schon mit mir darüber gesprochen, daß er vielleicht in diesem Sommer zwei Nachmittage in der Woche in Frau Engels Garten arbeiten kann. — Das heißt, wenn er die Arbeit heute gut macht.

Klaus: Ich werd's schon gut machen, und so kann ich mir etwas Geld verdienen.

Vater: Feine Sache, Klaus! Das gefällt mir! Aber dann müssen wir die Arbeit in unserem Garten ein wenig einteilen. Ich schlage vor, daß ich die Rasenfläche vorm Hause mähe und...

Klaus: ... und ich hinterm Hause. Abgemacht!

Vater: Gut! So wird's in diesem Sommer gemacht!

Mutter: Klaus, jetzt mußt du aber deine Schulbücher holen und laufen.

Vater: Vergiß aber nicht, sobald wie möglich den Rasen hinterm Hause zu mähen!

Klaus: Ich mach's morgen nachmittag, Vater.

(*Klaus eilt aus dem Zimmer, um seine Schulbücher zu holen.*)

Mutter: Ich freue mich, daß der Junge Gelegenheit hat, etwas Geld für sich zu verdienen.

Vater: Ich auch und hoffe nur, daß er vernünftig genug ist, einen Teil davon zu sparen.

Mutter: Ach, er ist ja so ein vernünftiger Junge!

(*Klaus läuft schnell ins Zimmer und ruft laut.*)

Klaus: Auf Wiedersehen! Auf Wiedersehen!

Vater: Auf Wiedersehen!

Mutter: Auf Wiedersehen, Klaus! Hast du alles bei dir? Mach's gut!

(*Klaus läuft schnell aus dem Hause und zur Schule.*)

Fragen

1. Wo findet die Unterhaltung statt? 2. Wer nimmt an der Unterhaltung teil? 3. Wann findet die Unterhaltung statt? 4. Wovon spricht der Vater zuerst? 5. Was will Klaus am Nachmittag tun? 6. Warum sehen es die Eltern gern? 7. Was schlägt der Vater vor? 8. Wann will Klaus den Rasen mähen? 9. Welche Hoffnung hat der Vater? 10. Was denkt die Mutter von Klaus?

Übungen

A. *Setzen Sie Fehlendes ein.*

1. Worauf man stolz ist.

   Man ist stolz auf den gutgepflegten Rasen, d– schön– Blumen, d– blühend– Rosen, d– weiß– Zaun d– Gartens, d– grün– Gartenhäuschen in d– Ecke, d– neu– Rasenmähmaschine, d– fleißig– Sohn.

2. Worüber man spricht.

   Man spricht über den gutgepflegten Rasen, d– neu– Gartenhaus, d– neu– Zaun, d– gepflanzt– Büsche, d– sauber– Wege, d– neu–, lang– Gartenschlauch.

3. Allerlei Vorschläge.

Ich schlage vor, daß du den Rasen hinter dem Hause mähst.

a) Ich schlage vor, daß du d– Rasen besser pflegst.
b) Ich schlage vor, daß du d– Arbeit gut machst.
c) Ich schlage vor, daß du d– Schulbücher holst.
d) Ich schlage vor, daß wir über d– Schularbeiten sprechen.

Aufgaben

1. Frau Freytag erzählt, wie ihr Mann und Klaus für den Rasen sorgen. 2. Klaus erzählt, wie er und der Vater für den Garten sorgen. 3. Die Morgenunterhaltung der Familie Freytag.

Im Garten

Herr Remers arbeitet in seinem Gemüsegarten. Frau Kraft, eine Nachbarin, tritt an den Gartenzaun.

Frau K.: Guten Tag, Herr Remers! Sie arbeiten aber fleißig in Ihrem Garten!

Herr R.: Guten Tag, Frau Kraft! — Jawohl, ohne Fleiß keinen Preis.

Frau K.: Nun, im letzten Jahr hatten Sie eine ausgezeichnete Ernte. Die Arbeit hatte sich gelohnt. — Pflanzen Sie da schon Tomaten?

Herr R.: Ja, ich habe diese schönen Setzpflanzen vom Markt mitgebracht und möchte sie heute noch einpflanzen.

Frau K.: Ich wollte eigentlich mal fragen, ob ich Ihren Spaten borgen könnte. Mein Mann hat gerade den Stiel an unserem Spaten abgebrochen, er möchte aber weitergraben.

Herr R.: Den können Sie gern haben, ich habe meinen Garten schon fertig umgegraben und habe fast alles gesät und gepflanzt.

Frau K.: Ja, Ihre Frau hat mir gestern gesagt, daß Sie noch mehr Bohnen und Erbsen gesteckt haben.

Herr R.: Das stimmt! Ich habe auch den Salat und die Radieschen so früh gesät, daß wir bald davon essen werden.

Frau K.: Ich wünschte, wir wären schon so weit mit unserem Garten. — Aber Sie sollten meine Küchenkräuter und Blumen sehen!

Herr R.: Ja, wir kommen bald einmal und sehen uns alles an. — Hier ist der Spaten, und nehmen Sie auch diese Grabgabel mit, damit läßt sich leichter graben.

Frau K.: Vielen Dank! Grüßen Sie Ihre Frau von mir!

Herr R.: Danke! Auf Wiedersenen!

(*Frau Kraft trägt den Spaten und die Gabel bis zum Ende ihres Gartens. Herr Remers pflanzt noch mehr Tomatensetzlinge ein.*)

Fragen

1. Wo unterhalten sich Frau Kraft und Herr Remers? 2. Was pflanzt Herr Remers? 3. Wo hat er die Tomatenpflanzen gekauft? 4. Was möchte Frau Kraft leihen? 5. Warum will sie den Spaten borgen? 6. Was hat Herr Remers gesät? 7. Was hat er gepflanzt? 8. Was möchte Frau Kraft den Nachbarn zeigen? 9. Wann wollen Herr und Frau Remers sich alles ansehen? 10. Was nimmt Frau Kraft mit?

Übungen

A. *Setzen Sie in den folgenden Sätzen das Gegenteil ein:*
   1. Herr Remers arbeitet fleißig, er ist nicht —. 2. Die Ernte ist ausgezeichnet, nicht —. 3. Herr Kraft möchte nicht aufhören, sondern —. 4. Mit der Grabgabel gräbt es sich nicht schwer, sondern —. 5. Die Radieschen werden nicht spät, sondern — gesät.

B. *Beantworten Sie die folgenden Fragen:*
   1. Ein Gemüsegarten ist ein Garten, in dem Gemüse wächst. Was ist *a)* ein Blumengarten, *b)* ein Obstgarten?

   2. Eine Grabgabel dient zum Graben. Wozu dient die Eßgabel?

C. *Setzen Sie Fehlendes ein:*
   1. *a)* Der Garten, d– am Hause liegt, ist ein Hausgarten.
   b) Die Gabel, d– zum Graben dient, ist eine Grabgabel.
   c) Der Garten, in d– Gemüse gezogen wird, ist ein Gemüsegarten.
   d) Ein Garten, in d– viele Blumen sind, ist ein Blumengarten.
   e) Pflanzen, d– gesetzt werden, nennt man Setzpflanzen.

2. Was der Gärtner tut.
   - *a)* Er gräbt d– Garten mit d– Spaten oder d– Grabgabel um.
   - *b)* Er sät d– Salat und d– Radieschen.
   - *c)* Er setzt d– Tomatenpflanzen, steckt d– Erbsen und d– Bohnen und pflanzt d– Kohl und d– Kohlrabi.

Aufgaben

1. Beschreiben Sie Ihren Hausgarten. 2. Erzählen Sie von den Arbeiten im Garten. 3. Erzählen Sie, was Sie tun würden, wenn Sie einen Garten hätten. (Wenn ich einen Garten hätte, würde ich . . . .)

Wir gehen zur Bank

Herr Benz und Fräulein Hart sind auf der Universität. Nach den langen Sommerferien sehen sie sich zum ersten Male wieder auf der Straße. Beide sind auf dem Wege zur Bank.

Herr Benz: Guten Tag, Fräulein Hart! Ich freue mich sehr, Sie wiederzusehen. Wie geht es Ihnen?

Frl. Hart: Guten Tag, Herr Benz! Danke, mir geht es recht gut. Und wie geht es Ihnen?

Herr Benz: Danke, sehr gut! Ich habe den ganzen Sommer auf einer Farm gearbeitet und bin erst gestern zurückgekommen. Augenblicklich bin ich auf dem Wege zur Bank, um mein erspartes Geld einzuzahlen und einen kleinen Scheck einzulösen.

Frl. Hart: Geld einzahlen — Scheck einlösen! Da sind Sie also auch unter die angehenden Kapitalisten gegangen, genau wie ich. Ich will nämlich auch zur Bank und etwas Geld abheben. Seit über drei Monaten bin ich nämlich Inhaberin eines Bankkontos. Sehen Sie nur, hier ist mein Bankbuch. Und alles ist selbstverdientes Geld. Ich bin wirklich stolz darauf.

Herr Benz (*lachend*): Darf man fragen, wieviel Sie von der ersten Million schon auf der Bank haben?

Frl. Hart: Aber nein, das ist doch Geschäftsgeheimnis! Und was die erste Million betrifft, von der bin ich noch weit entfernt. Mein Großvater pflegte immer zu sagen, daß die erste Million am schwersten zusammenzubringen sei. — Aber erzählen Sie doch, wie es auf dem Lande war!

Herr Benz: Da ist nicht viel zu berichten. Ich habe schwer gearbeitet, es hat mir aber Freude gemacht, und es ist mir auch gut bekommen.

Frl. Hart: Ja, Sie sehen gut aus. Wie braun Sie geworden sind!

Herr Benz: Kein Wunder! — Und wie haben Sie den langen Sommer verbracht? Tennis gespielt, gesegelt ...

Frl. Hart: Da irren Sie sich aber sehr. Ich arbeite seit Juni in einer Rüstungsfabrik und will die Arbeit auch im Winter nicht aufgeben. Allerdings werde ich jeden Tag nur eine halbe Schicht arbeiten, denn ich will ja in diesem Jahre mein Schlußexamen machen. — Doch ich glaube, wir müssen uns beeilen. Um 3 Uhr wird die Bank geschlossen.

Herr Benz: Wahrhaftig! Schon 10 vor 3. Gehen wir also etwas schneller. — Anfangs wollte ich mein erspartes Geld auf die Sparkasse bringen, dann habe ich es mir aber anders überlegt. Ich werde den größeren Teil in Kriegssparbonds anlegen. Wenn ich erst alle Bücher für das neue Semester gekauft habe, werde ich keine großen Ausgaben mehr haben, denn das Zimmer bezahlt mein Vater, und die Mahlzeiten verdiene ich mir durch Servieren in der „Union". Im zweiten Semester werde ich wohl kein Geld mehr nötig haben, dann wird „Onkel Sam" für mich sorgen. Sobald ich nämlich 18 bin, will ich bei den Fliegern eintreten. — Und was tun Sie mit Ihrem verdienten Mammon?

Frl. Hart: Ich lege auch alles Geld, das ich augenblicklich nicht nötig habe, in Sparbonds an. Das ist eine sichere Kapitalanlage und auch eine patriotische Pflicht in dieser Zeit.

Herr Benz: Gewiß, gewiß! — Noch eine neugierige Frage: Haben Sie ein Sparkonto oder ein Scheckkonto auf der Bank?

Frl. Hart: Ein Scheckkonto. Ich bezahle fast alle meine Rechnungen mit Schecks, natürlich nicht die ganz kleinen. Einmal im Monat hole ich mir etwas Geld von der Bank, um nicht ohne Bargeld zu sein.

Herr Benz: Ja, etwas Geld muß man immer bei sich haben. Und kaufen Sie Ihre Bonds durch die Bank?

Frl. Hart: Nur manchmal. Ich kaufe jeden Monat *einen*

durch die Fabrik und lasse mir das Geld von meinem Lohn abziehen.

Herr Benz: Das ist bequem. Ja, ein Scheckkonto ist eine praktische Einrichtung. Nur darf man das Scheckbuch nicht vergessen oder verlieren ...

Frl. Hart: Und aufpassen, daß man sein Bankkonto nicht überzieht ...

Herr Benz: Ja natürlich; wenn man mehr abhebt, als das Guthaben beträgt, ist es unangenehm und sogar strafbar.

Frl. Hart: Da sind wir ja schon vor der Bank.

Herr Benz (*öffnet die Tür*): Treten wir also ein, wir angehenden Kapitalisten.

Fragen

1. Wo sehen sich Fräulein Hart und Herr Benz? 2. Wohin gehen beide? 3. Wo war Benz in den Ferien? 4. Was will er in der Bank? 5. Wie nennt ihn Fräulein Hart? 6. Seit wann hat Fräulein Hart ein Bankkonto? 7. Wie ist Fräulein Hart zu dem Gelde gekommen? 8. Wo hat sie das Geld verdient? 9. Warum will sie täglich nur eine halbe Schicht arbeiten? 10. Wie will Benz sein Geld anlegen? 11. Warum sind Sparbonds eine gute Kapitalanlage?

Übungen

A. *Setzen Sie Fehlendes ein:*
1. Ich gehe zur Bank, um mein erspart- Geld einzuzahlen. 2. Ich gehe zum Park, um mein- Freund dort zu treffen. 3. Ich gehe zum Schuhmacher, um mein- Schuhe abzuholen. 4. Ich gehe zum Bahnhof, um mein- Mutter abzuholen. 5. Ich gehe zur Buchhandlung, um ein neudeutsch- Buch zu kaufen.

B. Mein Freund ist stolz auf sein Bankbuch.
1. Mein- Freundin ist stolz auf ihr neu- Sommerkleid.

2. Mein Bruder ist stolz auf sein- neu- Panamahut, sein- Sportanzug und sein- silber- Armbanduhr.

C. Benz hat schwer gearbeitet, aber — hat ihm Freude gemacht. Er hat harte Hände bekommen, aber — ist stärker geworden. Er hat lange Stunden gearbeitet, aber er hat in — Nacht gut geschlafen. Er ist stundenlang in — Sonne gewesen, aber — hat eine gesunde Farbe bekommen. Er hat nicht oft in — Kino gehen können, aber er hat schön- Geld gespart.

Aufgaben

1. Herr Benz schreibt an seinen Bruder, wie er seine Sommerferien verlebt hat. 2. Fräulein Hart erzählt einer Freundin von dem Studenten Benz. 3. Erzählen Sie, wie Sie Ihre letzten Sommerferien verlebt haben.

Wie grüßt man in Deutschland?

Nach der Deutschstunde geht Fräulein Miller zu ihrem Lehrer und stellt ihm eine Frage.

Frl. Miller: Bitte, Herr Lehrer, können Sie mir sagen, wie man in Deutschland grüßt?

Lehrer: Sie wissen das nicht, Fräulein Miller?

Frl. Miller: Ich weiß, was man sagt: Guten Morgen! Guten Tag! Guten Abend! Wie geht es Ihnen? Danke, gut! und so weiter. Aber *wie* grüßt man?

Lehrer: Auf der Straße lüftet der Herr den Hut und nickt oder verbeugt sich leicht dabei. Die Dame nickt leicht.

Frl. Miller: Wer grüßt zuerst: die Dame oder der Herr?

Lehrer: Der Herr grüßt zuerst.

Frl. Miller: In Amerika fordert der gute Ton, daß der Herr abwartet, ob die Dame ihn grüßen möchte oder nicht.

Lehrer: In Deutschland grüßt der Herr zuerst und überläßt es der Dame, zu erwidern oder nicht zu erwidern. — Andere Länder, andere Sitten.

Frl. Miller: Das stimmt wohl, und darum möchte ich noch eine Frage stellen, wenn ich darf.

Lehrer: Bitte schön!

Frl. Miller: Wer grüßt zuerst: der Lehrer oder der Schüler?

Lehrer: Eigentlich sollte der Schüler den Lehrer grüßen, der Student den Professor, der Arbeitnehmer den Arbeitgeber, der Angestellte den Vorgesetzten, der Jüngere den Älteren und so weiter. Das ist eine Anstandsregel, die man im allgemeinen in Deutschland beachtet.

Frl. Miller: In Amerika macht man es umgekehrt. Aber hierzulande ist man wohl freier im Umgang, und man beachtet diese Anstandsregel nicht so genau.

Lehrer: Da haben Sie recht. Wenn man aber drüben jemand

die Hand reicht, so reicht die Dame dem Herrn die Hand, der Vorgesetzte dem Untergebenen und der Ältere dem Jüngeren.

Frl. Miller: So macht man es auch in Amerika.

Lehrer: Aber man reicht sich in Deutschland viel öfter die Hand als in Amerika.

Frl. Miller: Ja, andere Länder, andere Sitten.

Lehrer: Jawohl, den Spruch haben Sie sich richtig gemerkt.

Frl. Miller: Nun habe ich aber so viele Fragen gestellt! Hoffentlich habe ich Sie nicht zu lange aufgehalten, Herr Lehrer.

Lehrer: Gar nicht! Ich beantworte solche Fragen sehr gern.

Frl. Miller: Ich danke Ihnen vielmals. — Auf Wiedersehen!

Lehrer: Bitte schön. Auf Wiedersehen!

(*Fräulein Miller verläßt das Unterrichtszimmer und geht zum Lesesaal.*)

Fragen

1. Was weiß Fräulein Miller? 2. Was möchte sie wissen? 3. Wie grüßt der Herr auf der Straße? 4. Wie grüßt die Dame? 5. Wer grüßt zuerst? 6. Wie ist es in Amerika? 7. Wo reicht man sich öfter die Hand, in Amerika oder in Deutschland? 8. Welches Sprichwort hat Fräulein Miller gelernt?

Übungen

A. *Setzen Sie Fehlendes ein:*
  1. Wen grüßt man?
     Man grüßt d- Frau, d- Freundin, d- alt- Herrn, d- alt- Dame, d- jung- Mädchen, d- Nachbar, d- Fräulein.
  2. Wem reicht man die Hand?
     a) Man reicht d- Freund die Hand.
     b) Man reicht d- Freundin die Hand.

c) Man reicht d– Bekannten die Hand.
  d) Man reicht ein– Fräulein die Hand.
  e) Man reicht d– Eltern die Hand.
3. Wie grüßt man?
  Man lüftet d– Hut oder d– Mütze, man nickt mit d– Kopfe, man verbeugt sich.
B. *Beenden Sie die folgenden Sätze:*
  1. In Amerika fordert der Anstand, daß —. 2. In Deutschland fordert der gute Ton, daß —. 3. In Amerika ist es üblich, daß —. 4. In Deutschland ist es Sitte, daß —.
C. *Setzen Sie die kursiv gedruckten Adjektive und Adverbien in den Komparativ:*
  1. Der *junge* Herr grüßt den älteren zuerst. 2. Die *junge* Dame grüßt zuerst. 3. Der Umgang in Amerika ist *frei*. 4. Man beachtet die Anstandsregeln *genau*. 5. Die Deutschen reichen *oft* die Hand.

Aufgaben

1. Fräulein Miller erzählt ihrer Mutter, was sie in der Schule vom Grüßen in Deutschland gelernt hat. 2. Fräulein Miller fragt einen Soldaten, wie in Deutschland gegrüßt wird.

In der Schreibwarenhandlung

Fräulein Schulz braucht Schreibpapier. Sie bleibt vor einem Laden stehen, über dessen Tür und Schaufenster folgendes Schild ist:

> ANTON ZIMMERMANN
> **Buch- und Papier-Handlung**

Vielerlei Schreibwaren sind im Schaufenster ausgestellt: Briefpapier, Notizblöcke, Radiergummis, Ansichtskarten, Kalender, einfache Bleistifte, Dreh- oder Füllbleistifte, einfache Federn, Füllfedern, Schreibmaschinen usw. Fräulein Schulz tritt in den Laden ein.

Verkäufer: Guten Tag! Sie wünschen?
Frl. Schulz: Briefpapier, bitte!
Verkäufer: Auch Umschläge — Kuverte — dazu?
Frl. Schulz: Bitte.
5 (*Der V. legt verschiedene Sorten Briefpapier auf den Ladentisch. Sie sucht sich Luftpostpapier aus.*)
Frl. Schulz: Sind diese Umschläge durchsichtig?
Verkäufer: Nein, sie sind mit dunkelblauem Papier gefüttert.
10 **Frl. Schulz:** Ich nehme ein Paket.
Verkäufer: Sonst noch etwas, bitte?
Frl. Schulz: Ich brauche auch eine Flasche Füllfedertinte.
Verkäufer: Jawohl! — Wir haben hier auch eine gute Auswahl Drehstifte.
15 **Frl. Schulz:** Ich besitze einen guten Füllbleistift, brauche aber Ersatzblei dafür.
Verkäufer: Wir haben alle Sorten da ausgestellt. Suchen Sie sich, bitte, Ihre Marke aus!

Frl. Schulz: Bitte, wickeln Sie dieses Päckchen mit ein! Wieviel macht das zusammen?
Verkäufer: Drei Mark fünfzig Pfennig, bitte.
(Frl. Schulz gibt dem V. das genaue Geld.)
Verkäufer: Danke vielmals! Guten Tag! 5
Frl. Schulz: Guten Tag!
(Frl. Schulz verläßt den Laden.)

Fragen

1. Wohin geht Fräulein Schulz? 2. Woher weiß sie, daß es eine Schreibwarenhandlung ist? 3. Was steht noch auf dem Schild? 4. Was ist neben der Tür? 5. Was sieht Fräulein Schulz im Schaufenster? 6. Was für Papier kauft sie? 7. Was für Briefumschläge wählt sie? 8. Schreibt sie die Briefe mit der Feder oder auf der Schreibmaschine? 9. Woher wissen Sie das? 10. Was bietet der Verkäufer dem Fräulein Schulz noch an?

Übungen

A. *Ersetzen Sie die kursiv gedruckten Wörter durch andere Wörter und Ausdrücke:*

1. Ich *möchte* eine Füllfeder. 2. Er *hat* eine gute Schreibmaschine. 3. *Haben Sie* einen guten Drehstift *nötig?* 4. Bitte geben Sie mir 24 weiße *Kuverte*. 5. Hast du deinen *Drehstift* verloren?

B. *Ergänzen Sie Fehlendes:*

1. Was für Bleistifte kauft man im Schreibwarengeschäft?

   Man kauft blaue, rot–, gelb–, hart–, weich–, billig– und teuer–.

2. Wie ich meine Wünsche ausspreche.

   Bitte, geben Sie mir ein– gut– Füllfederhalter, ein– Schreibtischkalender, zwei weich– Rotstifte, ein– hart– Blaustift, 100 Bogen weiß– Schreibmaschinenpapier, 100

Bogen gut– Kohlepapier, 100 braun– Geschäftsbriefumschläge, ein– weich– Radiergummi.
3. Was braucht der Student?

Er braucht ein– Füllfeder, ein– Notizblock, weiß– Schreibpapier, ein schwarz– Farbband für sein– Schreibmaschine, etlich– Bleistifte, ein– Radiergummi und etlich– Löschblätter.

Aufgaben

1. Fräulein Schulz erzählt von ihren Einkäufen in der Schreibwarenhandlung von Anton Zimmermann. 2. Die Verkäuferin einer Schreibwarenhandlung erzählt von ihrer Tagesarbeit. 3. Nennen Sie die Dinge, womit man schreibt. 4. Worauf schreibt man? 5. Was kauft man in Dutzenden, Hunderten, in Flaschen oder Fläschchen?

Beim Schuhmacher

Herr Braun hat ein Paar Schuhe, das er reparieren lassen möchte. Er hat sie in Papier eingewickelt und geht die Straße entlang. Er sieht eine Schusterwerkstatt mit folgendem Schild:

> JOSEPH BORCHERT
> Schuhmachermeister

Er macht die Tür auf und tritt ein.

Herr Braun: Guten Tag!
Schuhmacher: Guten Tag! Was wünscht der Herr?
Herr Braun: Ich möchte diese Schuhe neu besohlen lassen. Ich habe sie erst vor ein paar Wochen gekauft, aber die Sohlen sind schon durchgelaufen.
Schuhmacher: Ja, die Sohlen an neuen Schuhen halten manchmal nicht lange.
Herr Braun: Diese Marke sollte eigentlich für gute Qualität bürgen. Aber ich gehe auch in letzter Zeit mehr zu Fuß.
Schuhmacher: Ja, das Wetter ist jetzt auch so schön. Darf ich mir den anderen Schuh mal ansehen.
(Herr Braun reicht dem Schuhmacher den Schuh, und dieser sieht sich das Paar nun genau an.)
Schuhmacher: Möchten Sie die Sohlen genäht oder genagelt haben?
Herr Braun: Genäht, bitte! Und Sie können auch die Absätze gerade machen.
Schuhmacher: Ich habe Gummiabsätze auf Lager.
Herr Braun: Sind sie erster Qualität?
Schuhmacher: Ich kann diese zu 2 Mark empfehlen.
Herr Braun: Wieviel wird das Ganze kosten?
Schuhmacher: Ein Paar gute Ledersohlen genäht und ein

Paar Gummiabsätze, zusammen 7 Mark 50 Pfennig. Und die Arbeit wird sorgfältig gemacht.

Herr Braun: Und wann werden die Schuhe fertig sein?

Schuhmacher: Am Mittwoch.

Herr Braun: Gut. Ich hole sie mir Mittwoch nachmittag. Auf Wiedersehen!

Schuhmacher: Auf Wiedersehen!

(*Herr Braun verläßt die Schuhmacherwerkstatt.*)

Fragen

1. Zu wem geht Herr Braun? 2. Woran erkennt er die Schusterwerkstatt? 3. Was will Herr Braun dort? 4. Wie kommt es, daß die Sohlen so schnell durchgelaufen sind? 5. Was soll der Schuhmacher mit den Schuhen? 6. Soll er die Sohlen nähen oder nageln? 7. Was soll mit den Absätzen geschehen? 8. Wieviel soll alles kosten? 9. Wann sollen die Schuhe fertig sein? 10. Soll der Schuhmacher die Schuhe Herrn Braun ins Haus schicken?

Übungen

A. *Setzen Sie Fehlendes ein:*
1. a) Gummiabsätze trage ich lieber als Leder–.
   b) Schwarze Schuhe trage ich lieber als —.
   c) Neue Schuhe trage ich lieber als —.
2. Wann hast du die Schuhe gekauft? Vor ein paar Wochen.
   a) Wann hast du den Anzug gekauft? Vor einig- Monaten.
   b) Wann hast du Otto gesehen? Vor einig- Stunden.
   c) Wann bist du in Südamerika gewesen? Vor einig- Jahren.
   d) Wann wirst du dir neue Schuhe kaufen? In einig- Wochen.
   e) Wann willst du zum Zahnarzt gehen? In einig- Tagen.

Aufgaben

1. Schreiben Sie ein Gespräch, in welchem Herr Braun den Schuhmacher bittet, seine braunen Schuhe schwarz zu färben. 2. Herr Braun erzählt seiner Frau, wie er die Schuhe zum Schuhmacher gebracht hat. 3. Erzählen Sie, wie der Schuhmacher Herrn Braun bedient hat.

Im Schuhladen

Albert braucht ein Paar Schuhe. Vor einem Laden mit folgendem Schild:

> **Schuhwarenhaus**
>
> M. KRAUS

bleibt er stehen. Im Schaufenster sieht er Damen-, Herren- und Kinderschuhe, Schnürstiefel oder -schuhe und Halbschuhe für Herren, Pumps und Spangenschuhe für Damen, Gummi- und Überschuhe, Sportschuhe usw. Er geht hinein. Ein Verkäufer steht nicht weit von der Tür.

Verkäufer: Guten Tag! Womit darf ich dienen?

Albert: Ich suche ein Paar braune Halbschuhe. Sie haben ein schwarzes Paar im Schaufenster für 25 Mark. Haben Sie dasselbe in Braun?

5 **Verkäufer:** Jawohl, nehmen Sie Platz, bitte!

(*A. setzt sich. Der V. stellt eine Fußbank vor ihn, und A. setzt seinen linken Fuß darauf. Der V. setzt sich auf die Bank und zieht A.s Schuh aus.*)

Verkäufer: Welche Größe haben Sie, bitte?

10 **Albert:** Das weiß ich nicht. Ich trage jetzt amerikanische Schuhe, Größe acht.

Verkäufer: Ich messe einfach Länge und Weite.

(*Der V. mißt A.s Fuß und holt ein Paar schwarze Halbschuhe heraus.*)

15 **Albert:** Ich möchte braune Schuhe haben, bitte.

Verkäufer: Wir haben auch braune auf Lager. Probieren wir diesen an, ob die Größe stimmt.

(*Der V. zieht A. den Schuh mit Hilfe eines Schuhanziehers an.*)

20 **Albert:** Der Schuh ist zu kurz.

Verkäufer: Auch ein wenig zu weit. Bitte, ziehen Sie ihn aus, und ich hole Ihnen ein braunes Paar.

(*A. probiert vier Paar Schuhe an. Das erste war zu kurz und weit, das zweite zu lang und eng, das dritte drückte seine Zehen, das vierte hat er gerade an.*)

Albert: Dieser Schuh ist sehr bequem.

Verkäufer: Jawohl, er paßt sehr gut. Probieren Sie auch den rechten an und gehen Sie ein wenig auf dem Teppich hin und her.

(*A. hat beide Schuhe an und geht hin und her.*)

Verkäufer: Drücken sie irgendwo? Wenn sie noch etwas zu eng sind, lasse ich sie über den Leisten schlagen. Verstehen Sie? Ich kann sie weiter machen lassen.

Albert: Nein, sie passen ausgezeichnet. Wie teuer sind sie?

Verkäufer: Das Paar kostet 28 Mark und 50 Pfennig.

Albert: Gut! Bitte, packen Sie das alte Paar in Papier ein, ich trage das neue Paar.

(*Der V. packt die alten Schuhe ein. A. gibt ihm einen Zwanzig- und einen Zehnmarkschein, und der V. gibt ihm eine Mark und fünfzig Pfennig wieder.*)

Verkäufer: Ich danke Ihnen bestens!

Albert: Bitte schön!

(*Der V. macht die Tür für A. auf und sagt dabei: „Auf Wiedersehen!"*)

Fragen

1. Wohin geht Albert? 2. Wie heißt der Besitzer des Schuhwarenhauses? 3. Wer begrüßt Albert beim Eintritt? 4. Was wünscht Albert? 5. Was für einen Schuh probiert Albert zuerst an? 6. Warum paßt er nicht? 7. Wieviel Paar paßt Albert an? 8. Was tut er, als er ein passendes Paar gefunden hat? 9. Wonach fragt er dann? 10. Wieviel sollen die Schuhe kosten? 11. Welche Schuhe läßt Albert einpacken? 12. Wie zeigt der Verkäufer, daß er höflich ist?

Übungen

A. *Fehlendes ist zu ergänzen:*
Ein Paar oder ein paar?

Ich kaufe ein — Schuhe, ein — Strümpfe, ein — Bleistifte, ein — Hemden, ein — Handschuhe, ein — Bücher, ein — Zeitungen. Ich gebe nur ein — Mark aus, gehe ein — Stunden spazieren, höre im Park ein — Kinder singen und sehe auf einer Bank ein — sitzen, das noch nicht lange verheiratet zu sein scheint.

B. *Ersetzen Sie die kursiv gedruckten Wörter und Wendungen durch andere:*

1. Bitte, *setzen Sie sich!* 2. Ich *wünsche* ein Paar braune Halbschuhe. 3. Das *kann ich nicht sagen.* 4. Er *gibt* ihm eine Mark fünfzig *heraus.*

C. *Fehlendes ist zu ergänzen:*

1. Schuhe, die ich nicht mag.

Ich mag kein- eng- Schuhe, kein- drückend- Schuhe, kein- zu eng- Schuhe, denn sie sind unbequem und man bekommt leicht Hühneraugen davon. Ich mag auch kein- Schuhe, die zu spitz sind und zu hoh- Absätze haben.

2. Schuhe, die ich haben möchte.

Ich möchte ein Paar leicht- weiß- Schuhe, ein Paar schwer- Schnürstiefel mit dick- Sohlen und Nägeln, ein Paar schwarz- Halbschuhe, ein Paar leicht- Tanzschuhe in Gold.

Aufgaben

1. Erzählen Sie, wie Albert ein Paar Schuhe kaufte. 2. Erzählen Sie, wie der Verkäufer im Schuhgeschäft seine Kunden bedient. 3. Erzählen Sie, wie Sie eine Kundin bedienen würden, wenn Sie Verkäufer in einem Schuhgeschäft wären. 4. Erzählen Sie, was Sie für Schuhe haben.

Ich lasse das Kleid reinigen

Frau Holz will ihre Nachbarin, Frau Faber, besuchen. Sie steht vor der Tür und klingelt. Frau Faber öffnet die Tür.

Frau F.: Guten Tag, Frau Holz! Sie kommen wie gerufen!
Frau H.: Guten Tag, Frau Faber! Was ist denn los?
Frau F.: Ich bin so aufgeregt. Eben habe ich einen Fleck an meinem neuen Kleid entdeckt, als ich es aus dem Schrank geholt habe.
Frau H.: Was für ein Fleck ist es?
Frau F.: Das weiß ich eben nicht. Ich habe das Kleid erst einmal getragen. Ich weiß nicht, wie ich den Fleck entfernen soll. Könnten Sie mir vielleicht helfen?
Frau H.: Nun, Sie könnten es in einer lauwarmen Lauge aus Seifenflocken rasch ausdrücken und gleich zwischen trocknen Tüchern auspressen und bügeln.
Frau F.: Ich weiß nicht, ob ich's wagen darf, Kunstseide ins Wasser zu tun.
Frau H.: Warum versuchen Sie es dann nicht mit Fleckenwasser? Wollen Sie das Kleid heute noch anziehen?
Frau F.: Nein, ich wollte es erst nächste Woche tragen.
Frau H.: Empfindliche Stoffe sollte man eigentlich in Benzin waschen. An Ihrer Stelle würde ich aber das Kleid chemisch reinigen lassen.
Frau F.: Natürlich! In der Aufregung habe ich gar nicht daran gedacht. Ich rufe die Reinigungsanstalt an und lasse es noch heute abholen.
Frau H.: Es ist immer besser, wenn man so etwas von Fachleuten reinigen läßt.
Frau F.: Na, jetzt bin ich beruhigt. — Dürfte ich Ihnen nicht eine Tasse Tee anbieten?
Frau H.: Danke, gern.

Frau F.: Entschuldigen Sie mich, bitte, einen Augenblick.

(*Frau Faber geht in die Küche, um Tee zu machen. Inzwischen ruft sie auch die chemische Reinigungsanstalt telephonisch an.* Dann trinken die beiden Damen Tee und plaudern.)

Fragen

1. Wer unterhält sich hier? 2. Warum ist Frau Faber aufgeregt? 3. Welchen Rat gibt ihr Frau Holz? 4. Warum denkt Frau Faber, daß sie das nicht tun darf? 5. Wozu rät ihr Frau Holz nun? 6. Wie kommt es, daß Frau Faber nicht an die chemische Reinigung gedacht hat? 7. Wie will sie die Reinigungsanstalt benachrichtigen? 8. Wann soll das Kleid abgeholt werden? 9. Wozu ladet Frau Faber die Nachbarin ein? 10. Warum geht sie in die Küche?

Übungen

A. *Fehlendes ist einzusetzen.*
  1. Was man chemisch reinigen läßt.
      Ich lasse ein– Bluse, d– Jackenkleid, ein– Mantel, ein– Rock, ein halb– Dutzend Krawatten, ein– Sommermantel, ein– Panamahut reinigen.
  2. Was man tun läßt.
      Ich lasse mir d– Haare schneiden, ein– Zahn ziehen, d– Schuhe besohlen, d– Kleid reinigen, d– Auto schmieren, weil ich es nicht selber tun kann.
B. *Erklären Sie die Wörter:* Fleckenwasser, Haarwasser, Seifenflocken, Wasch- und Bügelanstalt, Kunstseide, Fachmann, Fachleute.

Aufgaben

1. Frau Faber erzählt, wie Frau Holz ihr guten Rat gegeben hat. 2. Erzählen Sie, wie Sie etwas in die Reinigungsanstalt schicken. 3. Wie rufen Sie die Reinigungsanstalt an, wenn ein Kleid abgeholt werden soll?

Wir wollen ein Zimmer mieten

Robert Niemann und Henry Jensen sind in einer fremden Stadt. Sie wohnen schon seit mehreren Tagen in einem Hotel, wollen aber ein möbliertes Zimmer mieten, da sie etwa drei Monate in dieser Stadt bleiben werden. Robert tritt gerade ins Zimmer.

Robert: Es ist gut, daß du da bist, Henry. Ich habe zwei Zeitungen mitgebracht: die „Morgenpost" und den „General-Anzeiger". Wir können gleich nachsehen, wo möblierte Zimmer zu vermieten sind.

Henry: Gut! Wo soll ich suchen?

Robert: Das weißt du nicht? Und du hast Deutsch gelernt und kannst so gut sprechen?

Henry: Ich habe mein Deutsch aus Büchern gelernt, nicht aus Zeitungen und Zeitschriften.

Robert: Suche dann die Seite mit den kleinen Anzeigen! Da steht eine größere Überschrift: *Vermietungen.* Darunter werden leere und möblierte Zimmer und Wohnungen angezeigt.

(*Beide blättern durch die Zeitungen.*)

Henry: Ich habe schon eine Anzeige gefunden:

Großes, möbliertes Zimmer

mit 2 Betten, Badbenützung und Kochgelegenheit zu vermieten. Blücherstraße 2a, am Dreieck. Haltestelle von drei Straßenbahnen.

Robert: Das hört sich gut an! Dies aber auch:

Sauber und gut möbliertes Doppel-Schlafzimmer mit Frühstück, elektrischem Licht, fließendem warmem Wasser, Bad, in vornehmem altem Hause **zu vermieten.** Angebote mit Berufsangabe unter 1432 an den „General-Anzeiger", Bahnhofstr. 39.

Henry: Da müssen wir sofort hingehen! Aber sieh dir *diese* Anzeige an, Robert! So etwas kann man doch gar nicht lesen!

(*Er zeigt auf folgende Anzeige:*

Gut geheiz. möbl. Zimmer m. 1 od. 2 Betten, elek. L., w. u. k. Wasser, ev. Morgenkaffee, z. 1. II. an berufstät. Frl. preisw. zu verm. Zu sehen tägl. 17–19 Uhr. Off. an Agent.: H. Sch., Heßstr. 57 II.

und schüttelt den Kopf.)

Robert: Ich lese vor: Gut geheiztes, möbliertes Zimmer mit einem oder zwei Betten, elektrischem Licht, warmem und kaltem Wasser, eventuell Morgenkaffee, zum ersten Februar an berufstätiges Fräulein preiswert zu vermieten. Zu sehen täglich von 17 bis 19 Uhr (das heißt von 5 bis 7 Uhr nachmittags). Offerten (oder Angebote) an den Agenten: H. Schmidt, Heßstraße 57, im zweiten Stock.

Henry: Das hätte ich nicht lesen können.

Robert: Und solche Zimmer kommen auch nicht für uns in Frage. Die sind wohl für Stenotypistinnen oder Verkäuferinnen, die in der Stadt arbeiten. Aber hier steht die beste Anzeige, die wir bis jetzt gefunden haben:

2 kleine Zimmer, ganz möbl., mit Kochnische, Bad, repräsentativem Stiegenaufgang, Warmluftheizung, freier Aussicht, Nähe Südbahnhof **sofort zu vermieten.** Mäßiger Preis. Zu sehen 9–12 Uhr und 19–20 Uhr. Hübing, Corneliusstr. 13.

Henry: Eine Kochnische?

Robert: Jawohl, eine kleine Kocheinrichtung! Da brauchten wir nicht immer zum Essen auszugehen. Aber jetzt müssen wir hingehen und uns die Zimmer ansehen, sonst kommt uns jemand zuvor.

Henry: Ich bin schon fertig. Wir können sofort gehen. Am besten nehmen wir aber die Zeitungen mit.

(*Jeder zieht den Mantel an und setzt sich den Hut auf, und sie verlassen zusammen das Zimmer.*)

Fragen

1. Wo sind Robert und Henry? 2. Warum wohnen sie im Hotel? 3. Warum wollen Sie ein möbliertes Zimmer mieten? 4. Wo finden sie Anzeigen von Zimmern, die zu vermieten sind? 5. Was für Zimmer werden angezeigt? 6. Wann können die Freunde sich die Zimmer ansehen? 7. Warum gefällt ihnen ein Zimmer mit Kochgelegenheit? 8. Welche Fragen stellen die Freunde, wenn sie ein Zimmer ansehen?

Übungen

A. *Setzen Sie Fehlendes ein:*
  1. In was für einem Hause mietet man gern ein Zimmer?
     Man mietet gern in ein- vornehm- Hause, in ein- modern- Hause, in ein- sauber- Hause, in ein- hell- Hause.
  2. Was sollte ein gutes Zimmer haben?
     Es sollte elektrisch- Licht, fließend- kalt- und warm- Wasser, ein- klein- elektrisch- Kochgelegenheit, gut- Warmluftheizung, ein- schön- Aufgang, ein- gut- Aussicht und ein weich- Bett haben.
  3. Was für Zimmer werden gern gemietet?
     Sauber- Zimmer, hell- Zimmer, gut möbliert- Zimmer, sonnig- Zimmer, gut geheizt- Zimmer, preiswert- Zimmer werden gern gemietet.

Aufgaben

1. Beschreiben Sie Ihr Zimmer. 2. Erzählen Sie, was Ihnen an Ihrem Zimmer gefällt. 3. Schreiben Sie eine Anzeige, in der Sie ein Zimmer suchen.

Der kalte Winter

Herr Sieber geht vorsichtig die Straße entlang. Der Bürgersteig ist mit Schnee und Eis bedeckt, und die Straße ist glatt. Herr Sieber trägt einen schweren Überzieher, den Kragen hochgeschlagen, warme Handschuhe, einen Hut, Ohrenschützer und hohe Überschuhe. Fräulein Kroll kommt ihm entgegen. Sie ist sportmäßig gekleidet, trägt einen Sportmantel, eine Baskenmütze, dicke wollene Fausthandschuhe, schwere Lederschuhe und wollene Sportstrümpfe.

Frl. K.: Guten Tag, Herr Sieber!... Guten Tag!... Guten Tag, Herr Sieber!

Herr S.: Guten Tag, Fräulein Kroll! Verzeihen Sie, daß ich so schlecht höre, aber diese Ohrenwärmer nehme ich trotzdem nicht ab. Es ist einfach zu kalt. Solch kaltes Wetter haben wir seit vierzig Jahren nicht gehabt. Es friert schon wochenlang, und so ein Schneegestöber wie gestern habe ich noch nie gesehen.

Frl. K.: Es ist aber doch schön! Der tiefe Schnee und das glatte Eis gefallen mir!

Herr S.: Jawohl, wenn man zu Hause beim warmen Ofen sitzt. — Wenn es aber noch einmal so schneit, können wir überhaupt nicht mehr aus dem Hause. Die Omnibusse und die Straßenbahn konnten heute kaum fahren. Und da sagen Sie, daß Eis und Schnee schön sind?

Frl. K.: Ja, das meine ich. Ich treibe nämlich gern Wintersport. — Heute habe ich acht Stunden im Büro gearbeitet. Jetzt aber gehe ich nach Hause, ziehe meinen Schianzug an, nehme die Schier und gehe zum Park, um dort Schi zu laufen. Oder ich gehe zur Eisbahn und laufe Schlittschuh. Vielleicht gehe ich mit einigen Freunden Schlittenfahren. Ich weiß noch nicht, was wir alles unternehmen werden.

Herr S.: Sie haben aber eine Energie, Fräulein Kroll!

Frl. K.: Ja, der schöne, kalte Winter macht's.

Herr S.: Ich gehe schnell nach Hause, wo es warm ist. Dieser kalte Winter gefällt mir ganz und gar nicht. Da frieren einem Hände und Füße. — Auf Wiedersehen, Fräulein Kroll!

Frl. K.: Mir ist gar nicht kalt. — Auf Wiedersehen, Herr Sieber!

(*Herr Sieber geht vorsichtig auf dem glatten Bürgersteig. Fräulein Kroll bückt sich, hebt eine Handvoll Schnee auf und macht einen Schneeball, den sie in den nächsten Baum wirft.*)

Fragen

1. Was trägt Herr Sieber, um sich gegen die Kälte zu schützen? 2. Wie ist Fräulein Kroll gekleidet? 3. Warum gefällt Herrn Sieber das Wetter nicht? 4. Warum hat Fräulein Kroll das Wetter gern? 5. Wie hindern Eis und Schnee den Verkehr? 6. Welche Freuden bringt der Winter für einen Sportfreund?

Übungen

A. *Setzen Sie Fehlendes ein:*
   1. Was der Winter bringt.
      Der Winter bringt eiskalt- Winterluft, federleicht- Schneeflocken, spiegelglatt- Eisbahnen, feuerrot- Nasen.
   2. Was mir am Winter gefällt.
      a) Mir gefällt d- tief- Schnee.
      b) Mir gefällt d- glatt- Eis.
      c) Mir gefällt d- gut- Eisbahn.
      d) Mir gefällt d- modern- Schianzug.
      e) Mir gefällt d- rein- kalt- Luft.
   3. Was einem im Winter geschieht.
      Es friert einem d- Nase, es frieren einem d- Ohren, man fällt auf d- glatt- Straße, man wird von bös- Jungen und lustig- Mädchen mit Schneebällen geworfen.

Aufgaben

1. Schreiben Sie einen Aufsatz über *Die Freuden des Winters.*
2. Machen Sie eine Liste der Kleidungsstücke, die man im Winter trägt. 3. Sammeln Sie alle Verben, die uns sagen, was man im Winter tut und geben Sie von allen die Grundformen an.

Vor dem Schaufenster eines Kaufhauses

Hans steht mit seiner Schwester vor einem großen Schaufenster, worin viele Sachen für den Wintersport ausgestellt sind.

Wilma: Das sieht alles sehr schön aus, nicht wahr?
Hans: Sehr schön, Wilma! Da weiß man kaum, was man sich zu Weihnachten wünschen soll.
Wilma: Du weißt nicht, was du zu Weihnachten haben willst?
Hans: Natürlich weiß ich das, aber hier sind so viele Sachen, die ich gerne hätte.
Wilma: Was, zum Beispiel, hättest du am liebsten?
Hans: Siehst du den Schianzug (Skianzug) in der Ecke und die schöne warme Schimütze? So etwas möchte ich haben. Vielleicht kannst du es Vater und Mutter sagen.
Wilma: Ich sage es ihnen gern, ich kann aber nicht garantieren, daß sie dir den Anzug und die Mütze kaufen.
Hans: Du brauchst nichts zu garantieren. Sage es ihnen nur, bitte!
Wilma: Dann mußt du ihnen auch sagen, was ich mir zu Weihnachten wünsche.
Hans: Selbstverständlich! Was soll ich ihnen sagen?
Wilma: Ich möchte Schier (Skier) zu Weihnachten haben. Solche da! Siehst du die neben dem Anzug?
Hans: Und dann soll ich dir wohl zeigen, wie man Schi läuft?
Wilma: Natürlich! Dann können wir zusammen...
Hans: Ich weiß schon, was du sagen willst: Dann können wir zusammen in die Berge fahren. Du weißt wohl schon, daß der Wintersportklub kurz nach Weihnachten einen Ausflug macht.
Wilma: Ja, und würdest du mich mitnehmen?

Hans: Selbstverständlich! Da müssen wir mit Vater und Mutter sprechen. Wenn sie wissen, daß wir zusammen Schi laufen wollen, schenken sie uns gewiß Schianzüge und Schier.

5 **Wilma:** Aber wir sind doch in die Stadt gekommen, um Weihnachtsgeschenke für Vater und Mutter zu kaufen. Komm, wir gehen in dieses Kaufhaus und sehen nach, was wir für unser erspartes Geld bekommen können.

Fragen

1. Wo befinden sich Wilma und Hans? 2. Wie sind die beiden verwandt? 3. Was sehen sie in dem Schaufenster? 4. Was wünscht sich Wilma? 5. Wann wollen Sie zum Wintersport in die Berge? 6. Was für Sport wollen sie treiben? 7. Was wollen beide im Kaufhaus?

Übungen

A. *Setzen Sie Fehlendes ein:*
  1. Unsere Weihnachtseinkäufe
     a) Wir kaufen — Kiste Zigarren für — Vater.
     b) Wir kaufen — Paar Handschuhe für — Mutter.
     c) Wir kaufen — Messer für — Bruder Fritz.
     d) Wir kaufen — Buch für — Freund.
     e) Wir kaufen — Flasche Parfüm für — Schwester.
  2. Der Winter ist kalt, der kalte Winter, die Kälte des Winters.
     a) Der Schnee ist weiß, — —.
     b) Das Eis ist glatt, — —.
     c) Der Winter ist lang, — —.
     d) Die Kleider sind warm, — —.

B. *Gebrauchen Sie „wie" oder „als":*
  1. Das Eis ist härter — der Schnee. Der Dezember ist so kalt — der Januar. 2. Der Frühling ist schöner — der Winter. 3. Ich kann nicht so gut Schi laufen — du, aber ich laufe besser Schlittschuh — du.

Aufgaben

1. Schreiben Sie einen Wunschzettel, der alles enthält, was Sie sich zu Weihnachten wünschen. 2. Erzählen Sie von den Geschenken, die Sie letzte Weihnachten bekommen haben. 3. Hans erzählt, wie er Weihnachtsgeschenke eingekauft hat. 4. Beschreiben Sie das Schaufenster eines Kaufhauses.

Wir kaufen einen Weihnachtsbaum

Der Vater steht mit seinen beiden Kindern, Rudolf und Marie, auf einem offenen Platz, wo Weihnachtsbäume zu verkaufen sind. Der Vater grüßt den Verkäufer.

Vater: Guten Abend!

Verkäufer: Guten Abend! Sehen Sie sich nur die Bäume an und suchen Sie sich einen schönen aus!

Vater: Jawohl. Wo sind die kleinen Bäume, die man auf den Tisch stellen kann?

Marie: Wir wollen doch einen großen, so hoch wie das Zimmer. Die Spitze muß doch bis zur Decke reichen.

Verkäufer: Was soll es sein, eine Fichte oder eine Tanne, bitte?

Rudolf: Eine Fichte, Vater.

Vater: Wir möchten uns die Fichten ansehen, die kleineren und auch die größeren.

Verkäufer: Hier steht ein schöner Baum.

Rudolf: Von dieser Seite sieht er schief aus, da sind die Äste zu kurz und einige Zweige sind abgebrochen.

Vater: Wir können doch immer die schlechte Seite nach hinten drehen.

Marie: Er ist auch viel zu klein.

Vater: Dieser ist etwas höher, gefällt er dir, Marie?

Marie: Der ist zu schmal, die Äste sollten sich etwas weiter ausbreiten.

Verkäufer: Hier steht der Baum, den Sie suchen. Damit wird auch die junge Dame zufrieden sein.

Vater: Er ist nicht zu groß.

Marie: Und auch nicht zu klein.

Rudolf: Er ist groß genug und gut gewachsen.

Vater: Wenn wir alle damit zufrieden sind, kaufe ich ihn. Bitte, wieviel wollen Sie dafür haben?
Verkäufer: Fünf Mark.
Vater: Den billigsten haben wir nicht ausgesucht.
Verkäufer: Teuer ist er nicht. Da haben Sie eine meiner schönsten Fichten.
(Der Vater gibt dem Verkäufer einen Fünfmarkschein. Marie und Rudolf legen den Baum auf den Schlitten.)
Vater: Auf Wiedersehen!
Verkäufer: Auf Wiedersehen! Fröhliche Weihnachten!
Rudolf und Marie: Fröhliche Weihnachten!
Vater: Und viel Glück im neuen Jahr!
(Rudolf zieht den Schlitten, der Vater und Marie gehen nebenher und halten den Weihnachtsbaum fest.)

Fragen

1. Wer will einen Weihnachtsbaum kaufen? 2. Was für einen Baum möchte der Vater? 3. Was für einen Baum wünscht Marie? 4. Was für Bäume sieht sich der Vater zuerst an? 5. Was gefällt Rudolf nicht an dem Baum? 6. Warum gefällt er Marie nicht? 7. Was gefällt ihr an dem nächsten Baum nicht? 8. Wie ist der Baum, der allen gefällt? 9. Was kostet er? 10. Wie bringen sie den Baum nach Hause?

Übungen

A. *Setzen Sie Fehlendes ein:*
 1. Was wir uns ansehen.
    Die kleineren und die größeren Bäume, die dick- und die dünn-, die läng- und die kürz- Zweige.
 2. Was für einen Baum wir nicht kaufen.
    Wir nehmen nicht den teuersten und nicht den billigst-, nicht den größt- und nicht den kleinst-, wohl aber den schönst-, den best-.

3. Wenn mir der Baum gefällt, kaufe ich ihn.
   a) Wenn mir d– Tanne gefällt, nehme ich —.
   b) Wenn mir d– Bäumchen gefällt, nehme ich —.
4. Ich kaufe die Tanne nicht, weil — mir nicht gefällt.
   Ich nehme die Fichte nicht, weil — Zweige zu lang, weil — Äste zu ungleich sind.

Aufgaben

1. Was für einen Weihnachtsbaum (Christbaum) ich mir wünsche. 2. Wie ein schöner Weihnachtsbaum aussehen muß. 3. Schreiben Sie einen Brief, in dem Sie erzählen, wie Sie mit Ihrem Bruder einen Weihnachtsbaum gekauft haben.

Fröhliche Weihnachten

Die zwölfjährige Silvia Niemann tritt mit einem Paket in der Hand an die Haustür. Frau Reinking macht auf.

Frau R.: Guten Abend, Silvia! Wo kommst du denn her?

Silvia: Hier ist etwas Weihnachtsgebäck von der Mutter. Und wir alle wünschen Ihnen fröhliche Weihnachten!

Frau R.: Danke schön! Das ist aber eine schöne Überraschung! Komm doch herein, Silvia!

Silvia: Das darf ich nicht. Die Mutter hat gesagt, daß ich sofort wieder nach Hause kommen müßte.

Frau R.: Natürlich mußt du schnell wieder nach Hause, heute am Heiligen Abend. Ich habe aber etwas für dich, so mußt du einen Augenblick eintreten.

Silvia: Einen Augenblick darf ich wohl.

Frau R.: Du brauchst deine Überschuhe nicht auszuziehen.

(Silvia tritt ein und bleibt neben der Tür stehen. Frau Reinking geht ins Wohnzimmer und erscheint gleich wieder mit einem kleinen Körbchen.)

Frau R.: Da hast du ein Körbchen mit Süßigkeiten, Nüssen und Gebäck.

Silvia: Danke vielmals, Frau Reinking!

Frau R.: Bitte schön! Und sage deiner Mutter herzlichsten Dank — und sage ihr und auch deinem Vater, daß ich ihnen fröhliche Weihnachten wünsche.

Silvia: Das tue ich. Jetzt muß ich aber schnell nach Hause. Wir haben heute abend noch unsere Weihnachtsbescherung.

Frau R.: Darauf freust du dich wohl sehr?

(Silvia hat die Tür schon aufgemacht und tritt hinaus.)

Silvia: Jawohl. — Nochmals besten Dank und fröhliche Weihnachten, Frau Reinking!

Frau R.: Gleichfalls, Silvia. Und sage der Mutter auch, daß ich morgen nachmittag zu euch komme, um euren Weihnachtsbaum und deine Geschenke zu bewundern. — Fröhliche Weihnachten!

Silvia: Fröhliche Weihnachten!

5 (*Frau Reinking macht die Tür zu, und Silvia läuft schnell nach Hause.*)

Fragen

1. Zu wem kommt Silvia? 2. Wie alt ist Silvia? 3. Was bringt sie Frau Reinking? 4. Was hat Frau Niemann zu Silvia gesagt? 5. Was will Silvia tun, ehe sie ins Zimmer tritt? 6. Wo bleibt sie stehen? 7. Was bringt ihr Frau Reinking? 8. Was wünscht Frau Reinking Silvias Eltern? 9. Warum will Silvia so schnell nach Hause? 10. Wann will Frau Reinking zu Frau Niemann kommen? 11. Was will sie dort?

Übungen

A. *Bilden Sie Verben aus den folgenden Hauptwörtern:* das Gebäck (backen), der Dank, das Geschenk, das Paket, der Eintritt.

B. *Setzen Sie Fehlendes ein:*
  1. Was wir bewundern.
      a) Wir bewundern d– groß– Weihnachtsbaum.
      b) Wir bewundern d– schön– Weihnachtstanne.
      c) Wir bewundern d– viel– Geschenke.
      d) Wir bewundern d– gut– Weihnachtskuchen.

C. *Zerlegen Sie die folgenden Wörter in ihre Teile und geben Sie die Bedeutung jedes Teils an:* Weihnachtstanne, Weihnachtsgeschenk, Weihnachtsgans, Weihnachtstag, Weihnachtsfeier, Weihnachtsgebäck, Weihnachtsmann.

Aufgaben

1. Erzählen Sie, wie Silvia zur Frau Reinking ging. 2. Erzählen Sie von Ihrer letzten Weihnachtsfeier. 3. Beschreiben Sie Ihren letzten Weihnachtsbaum.

Der neue Rundfunkapparat

Herr Klein hat seiner Familie einen neuen Radioempfangsapparat zu Weihnachten gekauft. Nun steht die ganze Familie im Wohnzimmer und bewundert das neue Gerät.

Leo: Endlich haben wir einen großen Empfänger! Wie viele Röhren hat er, Vater?

Vater: Wir haben mit dem kleinen Apparat so gern Radio gehört, daß ich diesmal den größten und besten gekauft habe, den wir uns leisten konnten: ein Elfröhren-Gerät.

Ilse: Was macht es aus, ob es eine Röhre oder elf hat? Ich möchte hören!

Mutter: Mir machen die Röhren auch nichts aus. Ich finde aber, daß der Apparat wunderschön aussieht und gut zu den andern Sachen in unserem Wohnzimmer paßt. Wir sollten jetzt Weihnachtslieder im Radio hören.

Vater: Das tun wir, sobald wir den neuen Empfangsapparat verbunden haben. Kannst du mir dabei helfen, Leo?

Leo: Gern!

(*Leo stellt den kleinen Empfänger zur Seite und hilft dem Vater den großen in die Ecke stellen.*)

Vater: Da ist der Antennenanschluß, und hier ist der Erdanschluß.

Ilse: Und wo ist der Schalter, Vater?

Vater: Du darfst den Apparat nicht einschalten, bis Leo die Verbindungen gemacht hat.

Leo: Ich habe ihn schon geerdet und mit der Antenne verbunden. Jetzt verbinde ich ihn mit der elektrischen Leitung, Vater.

Vater: Nun darfst du den Apparat einschalten, Ilse! Siehst du, da geht das Licht hinter der Wellenskala an.

Ilse: So war es auch bei dem alten Apparat!

Leo: Dieser hat aber auch einen Kurzwellenteil. Da stehen die Namen der Städte, wo große Kurzwellensender sind.

Ilse: Was macht man mit diesen Knöpfen?

Leo: Das sind die Bedienungsknöpfe. Ich zeige dir, wie man den Apparat bedient. Mit dem Schalter schaltet man den Apparat ein und aus. Mit diesem Wellenschalter stellt man ihn auf kurze oder lange Wellen ein. Mit diesem Knopf, dem Stationswähler, stellt man die Sender ein.

Ilse: Das ist zu laut!

Leo: Drehe dann nur an diesem Lautstärkeregler! Damit stellt man den Lautsprecher laut oder leise ein.

Ilse: Ich höre jetzt nur Baßtöne!

Vater: Leo, du mußt an diesem Knopf, an der Rückkopplung, drehen. Jetzt treten die höheren Töne hervor. Damit kann man eine naturgetreue Wiedergabe erzielen.

Mutter: Das hört sich aber schön an! Können wir jetzt Weihnachtsmusik hören?

Vater: Natürlich!

Ilse: Ich möchte nur noch wissen, wie man die Drucktasten gebraucht.

Leo: Das ist der Drucktastenwähler!

Vater: So schaltet man ihn ein. Wähle nun die Drucktaste, worauf der Ruf deines Lieblingssenders steht, drücke auf die Taste und der Sender ist schon eingestellt!

Mutter: Und da hören wir auch schon Weihnachtslieder. Das ist wirklich ein schönes Weihnachtsgeschenk!

Leo: Das meine ich auch! Danke schön, Vater!

Ilse: Das ist das schönste Weihnachtsgeschenk, das wir seit Jahren bekommen haben. Danke vielmals!

(Die ganze Familie sitzt nun im Wohnzimmer und hört die Übertragung eines Weihnachtskonzerts im Radio.)

Fragen

1. Was für einen Rundfunkapparat hat Herr Klein gekauft?
2. Was gefällt Frau Klein an dem neuen Gerät? 3. Wer hilft

Herrn Klein den neuen Rundfunkapparat aufstellen? 4. Wie hilft Leo dabei? 5. Wer schaltet den Apparat ein? 6. Was ist das Neue an dem neuen Gerät? 7. Wozu dienen verschiedene Knöpfe? 8. Welche andern Namen für „Rundfunkgerät" können wir gebrauchen?

Übungen

A. *Vervollständigen Sie die folgenden Sätze:*
1. Das ist der beste Apparat, den ich mir leisten kann.
    a) Das ist das teuerste Gerät, —.
    b) Das sind die besten Schuhe, —.
2. Das Gerät paßt gut in unser Wohnzimmer.
    a) Dieser Hut paßt gut zu mein– Anzug.
    b) Diese Schuhe passen gut zu mein– beiden Sommeranzügen.
    c) Der Rahmen paßt nicht gut zu d– Bilde.
3. Das Gegenteil von ausschalten ist —.
   Das Gegenteil von abstellen ist —.

B. *Erklären Sie die folgenden Wörter:* Empfangsgerät, Empfangszimmer, Empfangsdame, Empfangsstunde.

Aufgaben

1. Beschreiben Sie Ihren Rundfunkapparat! 2. Schreiben Sie einen Brief, in dem Sie von Ihrem neuen Radio erzählen! 3. Machen Sie eine Liste aller Wörter und Ausdrücke, die sich auf den Rundfunkapparat beziehen.

Was man nicht im Kopfe hat, ...

I

Die Mutter arbeitet in der Küche. Sie bereitet das Abendessen. Walter sitzt im Wohnzimmer. Er hört Radio.

Mutter (*ruft*): Walter!
Walter: Ja, Mutter, ich sitze am Radio.
Mutter: Gehst du für mich einmal zum Laden?
Walter: Gern, Mutter! Muß ich aber gleich gehen? Darf
5 ich nicht warten, bis das Hörspiel zu Ende ist?
Mutter: Immer willst du etwas sehen oder hören! Gestern abend war es ein Schauspiel im Theater, heute ist es ein Hörspiel im Radio. Wie lange dauert es noch?
Walter: Eine halbe Stunde, Mutter.
10 **Mutter:** Gut! Aber dann mußt du laufen.
(*Man hört das Radio. Sonst ist alles still.*)

2

Eine halbe Stunde später. Walter steht vom Stuhl auf und stellt das Radio ab. Nun steht er an der Tür und sieht in die Küche.

Walter: Das Hörspiel war sehr interessant, Mutter. Jetzt kann ich zum Laden eilen. Was soll ich kaufen?
Mutter: Ich habe keine Butter mehr und muß gleich ein
15 Pfund haben. Hole auch ein Weißbrot und ein Pfund Kakao. Hast du auf etwas Appetit?
Walter: Ich möchte Käse haben ... Schweizer Käse.
Mutter: Den brauchst du nicht bringen, ich habe noch etwas im Eisschrank. Das Geld liegt da auf dem Tisch.
20 Lauf schnell, Walter!
(*Walter läuft aus dem Hause.*)

3

Walter geht in den Laden. Er steht am Ladentisch.

Walter: Guten Abend!
Verkäufer: Guten Abend! Womit kann ich dienen?
Walter: Ein Pfund frische Butter.
Verkäufer: Sonst noch etwas?
Walter: Geben Sie mir auch ein frisches Brot, bitte!
(*Der Verkäufer holt die Butter und das Brot und legt sie auf den Ladentisch.*)
Verkäufer: Sonst noch etwas gefällig?
Walter (*denkt nach*): Ein Pfund... ja, ein Pfund Käse.
Verkäufer: Was für Käse, bitte? 10
Walter: Schweizer Käse.
Verkäufer: Es tut mir leid! Wir haben keinen Schweizer Käse. Darf ich Ihnen eine andere Sorte geben?
Walter: Danke! Was kostet die Butter und das Brot?
Verkäufer: Zwei Mark neunzig (Pfennig), bitte. 15
(*Walter gibt dem Verkäufer drei Mark und bekommt zehn Pfennig wieder. Er nimmt die beiden Pakete und verläßt den Laden.*)

4

Walter kommt ins Haus, geht in die Küche und legt die Pakete auf den Tisch.

Walter: Da sind die Sachen, Mutter.
Mutter (*arbeitet weiter*): Danke schön, Walter! 20
(*Walter geht ins andere Zimmer und stellt das Radio an.*)
Mutter: Walter! Es sind nur zwei Pakete auf dem Tisch. Hast du etwas vergessen?
Walter: Ich konnte keinen Schweizer Käse bekommen, so habe ich gar keinen gekauft. 25
Mutter: Du solltest doch keinen Käse bringen, sondern Kakao. Stell' das Radio sofort ab und lauf wieder zum Laden! Ein Pfund Kakao! Schnell! Ich habe dir

schon oft genug gesagt: Was man nicht im Kopfe hat, ...

Walter (*ruft*): ... muß man in den Beinen haben!
(*Er läuft schnell aus dem Hause zum Laden.*)

Fragen

1. Wann findet die Unterhaltung statt? 2. Was wünscht die Mutter? 3. Warum will Walter nicht sogleich zum Laden gehen? 4. Wann will er gehen? 5. Was soll Walter holen? 6. Warum soll er keinen Käse bringen? 7. Wieviel bezahlt er im Laden? 8. Was vergißt er mitzubringen? 9. Was befiehlt ihm darum die Mutter? 10. Welche Wahrheit hat Walter gelernt?

Übungen

A. *Fehlendes ist zu ergänzen:*
1. Was holen wir aus dem Laden?
   Wir holen ein Pfund frisch– Butter, ein klein– Weißbrot, ein frisch– Graubrot, ein halb– Pfund Speck, ein halb– Dutzend Apfelsinen, ein Dutzend frisch– Eier, eine klein– Flasche Essig, eine groß– Flasche Mineralwasser.
2. Was Walter tut.
   a) Walter geht in d– Wohnzimmer und setzt sich an d– Radio.
   b) Er läuft zu d– Laden und stellt sich an d– Ladentisch.
   c) Er spricht mit d– Kaufmann und vergißt d– Kakao.
3. Worauf hast du Appetit?
   Ich habe Appetit auf — Apfel, auf — Glas Milch, auf — Butterbrot mit Käse, auf — Brötchen mit Erdbeermarmelade.

B. *Die kursiv gedruckten Ausdrücke sind durch andere zu ersetzen.*
1. Du mußt *schnell gehen.* 2. Das Geld *ist* auf dem Tisch. 3. *Wie teuer* ist die Butter? 4. Er bekommt 10 Pfennig *zurück.* 5. Muß ich *sofort* gehen?

Aufgaben

1. Walter erzählt, wie er zweimal zum Laden gehen mußte.
2. Die Mutter erzählt dem Vater, wie vergeßlich Walter ist.
3. Erfinden Sie eine kleine Geschichte, in der gezeigt wird, daß man in den Beinen haben muß, was man nicht im Kopf hat.

Till Eulenspiegel und der Wirt

Ein kleines dramatisches Spiel

Ort: Eine Wirtsstube
Personen: Wirt, Wirtin, Eulenspiegel, Reisende, Frauen.

1. Auftritt

Wirt (*sitzt am Tisch und liest die Zeitung*): Ein Pferd gestohlen! — Eine Kuh gestohlen! — Gestohlen, gestohlen, als ob es nur Diebe in der Welt gibt! Und woher kommt das? Weil die Leute auf ihre Sachen nicht aufpassen. Mir könnte so etwas nicht passieren!

Wirtin (*kommt erregt*): Denke Dir nur, lieber Mann, der Hase, den ich am Küchenfenster hängen hatte, ist mir gestohlen worden!

Wirt (*springt auf*): Was? Gestohlen? Wie ist denn das möglich? Wer hat das denn getan?

Wirtin: Das weiß ich doch nicht. Gestern abend hing er noch da, und als ich ihn jetzt herunternehmen wollte, um ihn heute zu braten, da war er fort.

Wirt: Das ist ja zum Verrücktwerden! Nichts ist mehr sicher vor den Langfingern. Da will ich doch mal mit dem Bürgermeister sprechen. Wozu bezahlen wir unsere Steuern, wenn einem das Essen vom Munde gestohlen wird! Was werden wir denn nun zum Mittag essen?

Wirtin: Ich denke, ich koche Sauerkraut mit Schweinebeinen. Das ist so recht ein Essen für die kalte Jahreszeit.

Wirt: Ja, das ist ein gutes Essen. Aber die ganze Nachbarschaft weiß dann gleich, was es bei uns gibt.

Wirtin: Das schadet doch nichts! Nun muß ich mich aber beeilen, es ist schon bald 11 Uhr. (*Ab.*)

Wirt: Wenn ich den Dieb zu fassen bekomme! Die Knochen im Leibe zerbreche ich ihm!

2. Auftritt

Eulenspiegel (*kommt zur Tür herein*): Grüß Gott!
Wirt: Grüß Gott! Kalter Tag heute. Nehmen Sie Platz! Hier ist es schön warm. Der Ofen meint es gut.
Eulenspiegel: Ja, einen warmen Ofen hat man gern in dieser Jahreszeit. Sie haben es schwer, Herr Wirt, daß Sie den ganzen Tag den Ofen festhalten müssen. Wenn ich noch einmal auf die Welt komme, werde ich auch Gastwirt.
Wirt: Sie sehen aber auch nicht aus, als ob Sie die Arbeit erfunden hätten und als ob Sie sich totarbeiten wollten. Woher kommen Sie des Weges?
Eulenspiegel: Von Kneitlingen.
Wirt: Da haben Sie schon einen guten Marsch hinter sich.
Eulenspiegel: Ja, das habe ich. Deswegen habe ich auch einen Bärenhunger. Sagen Sie, was gibt es heute Gutes bei Ihnen?
Wirt: Sauerkraut mit Schweinebeinen. Wir essen aber heute etwas später, denn ein Dieb hat meiner Frau den Hasen vom Küchenfenster gestohlen.
Eulenspiegel: Sauerkraut mit Schweinebeinen? Wenn ich das höre, läuft mir das Wasser im Munde zusammen! Da geben Sie mir nur schnell eine große Portion.
Wirt: Da werden Sie noch eine Stunde warten müssen. Ich sagte Ihnen ja, daß wir heute später essen.
Eulenspiegel: Warten? Das kann ich nicht, mein Magen knurrt jetzt schon gewaltig.
Wirt: Sie werden nicht verhungern. (*Lachend*) Vielleicht gehen Sie in die Küche, da können Sie das Essen schon riechen. Da können Sie vom Geruch schon satt werden.
Eulenspiegel: Das muß ich mal probieren. Ich gehe in die Küche.

3. Auftritt

Die Reisenden und Frauen kommen. Eulenspiegel verläßt die Wirtsstube so, daß er von den Reisenden noch gesehen wird.

Wirt: Grüß Gott!

Reisende: Grüß Gott!

Wirt: Recht kalter Tag, nicht wahr? Bitte nehmen Sie Platz!

(*Reisende setzen sich.*)

Wirt: Was darf ich den Herrschaften bringen?

1. Reisender: Wir möchten etwas essen. Was haben Sie Gutes?

2. Reisender: Ja, wir sind ganz ausgehungert. Was gibt es heute?

Wirt: Wir haben heute vorzügliches Sauerkraut mit Schweinebeinen.

1. Frau: Das habe ich mir doch gedacht. Man kann es ja schon riechen.

2. Frau: Nicht wahr, man riecht es drei Häuser weit. Deswegen koche ich es nie gern, essen mag ich es aber wohl.

1. Reisender: Also gut, dann bringen Sie uns 4 Portionen Sauerkraut mit Schweinebeinen.

Wirt: Sehr gern! — (*Geht zur Küchentür*) Viermal Sauerkraut mit Schweinebeinen.

2. Reisender: Wo ist denn der Gast geblieben, der hier saß, als wir hereinkamen?

Wirt: Er hatte so großen Hunger, daß ich ihn in die Küche geschickt habe, vielleicht wird er dort vom Geruch des Essens satt. — Ein merkwürdiger Vogel!

2. Reisender: Mir kam er so bekannt vor. War das nicht der Till Eulenspiegel aus Kneitlingen —?

1. Reisender: Richtig! Das war der Till, der große Schalksnarr!

1. Frau: Da seien Sie nur recht vorsichtig, Herr Wirt. Der Till spielt gern andern Leuten einen Streich.

Wirt: Wer ist denn das, der Till Eulenspiegel?

2. Frau: Den kennen Sie nicht? Den kennt doch jedes Kind.

1. Reisender: Ja, es gibt so manchen Meister, so manchen Bürger und so manchen Pfarrer und Bischof, den er angeführt hat. Und dabei ist es nur ein dummer Bauernjunge!

1. Frau: Erinnert Ihr Euch noch, wie er in Braunschweig bei einem Bäcker gearbeitet hat? Da hat er den Meister gefragt, was er backen solle. Der Meister hat ihn verwundert angesehen und gefragt, wie man erst fragen könne, was ein Bäcker zu backen habe. Er könne ja Affen und Eulen backen. Und was hat der Till getan? Als der Meister in der Stadt war, hat er tatsächlich Eulen und Affen aus dem Teig gebacken. Wie dann der Meister nach Hause gekommen ist, hat es ein gewaltiges Schelten gegeben, und Till mußte das Haus verlassen und die Affen und Eulen bezahlen.

2. Frau: Und das Schönste: Till hat die gebackenen Affen und Eulen für gutes Geld verkauft, worüber sich der Meister dann am meisten geärgert hat.

Wirt: Ja, mit solchen Leuten muß man umgehen können. Mir wäre so etwas nicht passiert!

1. Reisender: Sie sind nicht der Erste, der das gesagt hat. Ich kenne einen Wirt, den er auch angeführt hat. Kommt er da eines Tages in den „Goldenen Löwen" in Erfurt und fragt: „Für wieviel darf ich essen?" Der Wirt denkt sich nichts dabei und sagt: „Für eine Mark oder für eine Mark fünfzig." „Gut," sagt der Till, „dann geben Sie mir für eine Mark fünfzig." Er läßt sich das Essen schmecken, und als er damit fertig ist, sagt er zum Wirt, er wolle nun gehen und möchte sein Geld haben. Der Wirt weiß gar nicht, was er sagen soll und meint, Till sei nicht richtig im Kopf. Nun sagt Eulenspiegel: „Sie haben mir doch gesagt, ich solle für eine Mark oder für eine Mark fünfzig essen. Also bezahlen Sie mich!"

1. Frau: Ich kann mir denken, wie ärgerlich der Wirt gewesen ist.

Wirt (*stolz*): Mir könnte so etwas nicht passieren!

2. Frau: Es ist doch gut, daß es noch kluge Leute gibt.

4. Auftritt

Eulenspiegel (*kommt und will das Zimmer durch die andere Tür verlassen*).

Wirt (*tritt ihm in den Weg, lachend*): Wollen Sie denn schon gehen? Sie haben ja noch nicht gegessen.

Eulenspiegel: Ich danke Ihnen, Herr Wirt. Ich bin in der Küche von dem Geruch schon satt geworden.

Wirt: Wenn Sie satt geworden sind, dann müssen Sie aber auch bezahlen. Mir können Sie nicht entkommen, dazu bin ich zu schlau. Also nur heraus mit dem Geld! Erst bezahlen!

Eulenspiegel: Bezahlen? Ich habe doch nichts gegessen.

Wirt: Sie haben aber gesagt, daß Sie satt geworden sind. Dafür verlange ich 70 Pfennig. Nein, mein Lieber, jetzt sind Sie doch einmal an den rechten Schmied gekommen. Ich bin doch klüger als Sie, mein Herr Eulenspiegel.

1. Frau: Da bin ich doch neugierig, wie die Geschichte enden wird.

Eulenspiegel: Herr Wirt, ich sehe, daß Sie ein tüchtiger Mann sind. (*Holt Geld aus der Tasche und wirft eine Münze auf den Tisch, daß man es hört und hält sie fest in der Hand.*) Haben Sie den Klang des Geldes gehört?

Wirt: Aber selbstverständlich, nur her damit.

Eulenspiegel: Soviel Ihnen der Klang des Geldes hilft, soviel hat mir der Geruch des Essens geholfen. Und nun, leben Sie wohl. Ich habe Eile. (*Schnell ab.*)

(*Alle springen auf, eilen ans Fenster.*)

1. Reisender: Da biegt er schon um die Ecke. Herr Wirt, der ist Ihnen entwischt.

Wirt: Die Polizei werde ich rufen, verhaften soll man den Gauner.

2. Reisender: Warum soll man ihn denn verhaften? Er hat doch kein Essen bekommen, wofür soll er da bezahlen?
Wirt: Und das muß mir passieren!
1. Reisender: Ja, das war aber auch Till Eulenspiegel.
1. Frau: Der große Schalksnarr!
2. Frau: Der dumme Bauernjunge!
              (*Vorhang fällt.*)

1.–2. Auftritt

Fragen

1. In welcher Jahreszeit spielt die Handlung? 2. Wo spielt die Handlung? 3. Was ist der Wirtin gestohlen worden? 4. Mit wem will der Wirt deswegen sprechen? 5. Was will die Wirtin nun kochen? 6. Wie denkt Eulenspiegel über einen warmen Ofen im Winter? 7. Wie kommt es, daß Eulenspiegel hungrig ist? 8. Was sagt Eulenspiegel von dem Sauerkraut mit Schweinebeinen? 9. Warum will er nicht warten? 10. Warum soll er in die Küche gehen?

Übungen

A. *Setzen Sie passende Attribute ein:*
    1. Die — Nachbarschaft weiß es. 2. Der Winter ist die — Jahreszeit. 3. Es ist ein — Essen. 4. Er hat einen — Marsch hinter sich. 5. Geben Sie mir eine — Portion.

B. *Gebrauchen Sie die folgenden Ausdrücke in vollständigen Sätzen:*
    1. Nichts ist sicher vor —. 2. Ich denke, ich —. 3. Wir essen heute später, denn —. 4. Ich habe einen Bärenhunger, denn —. 5. Denken Sie nur, —.

C. *Geben Sie drei Antworten auf jede der folgenden Fragen:*
    1. Was tut der Wirt? 2. Was tut die Wirtin? 3. Was tut Eulenspiegel?

Aufgaben

1. Die Wirtin erzählt, warum man heute später essen muß.
2. Was der Wirt zu dem Bürgermeister sagt. 3. Beschreiben Sie den Ort der Handlung.

3.–4. Auftritt

Fragen

1. Welche neuen Personen kommen? 2. Wonach fragen sie? 3. Was sagt die 2. Frau vom Sauerkraut? 4. Wie wird Eulenspiegel von dem 1. Reisenden genannt? 5. Welchen Streich erzählt die 1. Frau von Eulenspiegel? 6. Was erzählt der 1. Reisende? 7. Was verlangt der Wirt von Eulenspiegel? 8. Warum will Eulenspiegel nicht bezahlen? 9. Warum ist der Wirt am Ende so ärgerlich? 10. Warum lachen die Reisenden?

Übungen

A. *Setzen Sie passende Verben ein:*
  1. Man — das Sauerkraut drei Häuser weit. 2. Ich — es nicht gern. 3. Till hat bei einem Bäcker —. 4. Ich —, daß Sie ein tüchtiger Mann sind. 5. Die Polizei soll Eulenspiegel —.

B. *Setzen Sie für die kursiv gedruckten Wörter Synonyme ein:*
  1. Wir haben heute *sehr gutes* Sauerkraut. 2. Er hat *wirklich* Eulen und Affen gebacken. 3. Mir wäre so etwas nicht *geschehen*. 4. Ich kann mir denken, wie *zornig* der Wirt gewesen ist. 5. Dazu bin ich zu *klug*.

C. *Geben Sie auf jede Frage drei Antworten:*
  1. Wie war das Essen? 2. Was tat der Bäckermeister? 3. Was taten die Reisenden?

Aufgaben

1. Der 1. Reisende erzählt. 2. Was der Wirt der Polizei erzählt. 3. Die Wirtin erzählt einer Nachbarin von Eulenspiegel.

Der Rattenfänger zu Hameln

Ein Spiel in 3 Bildern

Ort: Ratsstube im Rathaus zu Hameln.
Personen: Bürgermeister, vier Ratsherren, der Rattenfänger, ein Polizist, etliche Mütter.

1. Bild

An einem langen Tisch sitzt der Bürgermeister, zu beiden Seiten sitzen die Ratsherren.

Bürgermeister: Es ist doch wirklich eine Plage mit den Ratten und Mäusen. Jeden Tag werden es mehr, und jeden Tag beklagen sich die Bürger.

1. Ratsherr: Als meine Frau heute die Morgensuppe kochen wollte, da sprang ihr aus dem Mehlkasten eine fette Ratte entgegen.

2. Ratsherr: Bei mir im Hause gibt es keine Wurst und keinen Schinken mehr, die nicht von den teuflischen Nagern angenagt sind.

3. Ratsherr: In der letzten Nacht fing meine Frau plötzlich laut an zu schreien. Und warum? Eine Ratte war ihr über das Gesicht gelaufen.

4. Ratsherr: Als ich heute um sechs in meine Stiefel fahren wollte, da hatte schon eine Maus ihr Nest darin gebaut.

1. Ratsherr: Wo mich die Leute auf der Straße sehen, da fragen sie mich, was der Stadtrat tun will, um die Ratten und Mäuse loszuwerden.

2. Ratsherr: Ja, es muß etwas getan werden, sonst bekommen wir noch eine Revolution.

Bürgermeister: Ganz recht, die Bürger sind schon aufgeregt und drohen, einen anderen Stadtrat und Bürgermeister zu wählen, wenn nicht für Abhilfe gesorgt wird. Ich denke Tag und Nacht darüber nach; mein Haar wird schon ganz weiß, aber ich weiß nicht, was man tun könnte.

3. Ratsherr: Was kann da getan werden?
4. Ratsherr: Wer hilft uns?
Bürgermeister: Um jeden Preis müssen wir Hilfe schaffen. Denken wir einmal nach!

(*Alle stützen den Kopf sinnend in die Hand.*)

Polizist (*kommt leise herein*): Herr Bürgermeister ...
Bürgermeister: Polizist, stören Sie uns nicht, wir müssen nachdenken, wie wir die Mäuse und Ratten loswerden können. Keiner darf uns stören!
Polizist: Entschuldigen Sie, Herr Bürgermeister, aber draußen ist ein Mann, der Sie zu sprechen wünscht.
Bürgermeister: Ich habe keine Zeit. Schicken Sie ihn weg!
Polizist: Ich wollte ihn ja wegschicken, er ging aber nicht, sondern sagte, er könne dem Stadtrat und der Stadt helfen.
Alle: Was, helfen will uns einer?
Bürgermeister: Helfen? Schnell, führen Sie den Mann herein!
Ratsherren: Das ist Hilfe vom Himmel geschickt.
Polizist (*geht zur Tür und kommt sofort mit dem Rattenfänger wieder*).
Rattenfänger: Grüß Gott, Herr Bürgermeister, grüß Gott die Herren! Herr Bürgermeister, ich weiß, was Sie für Sorgen haben. Ich bin gekommen, Ihnen zu helfen.
Bürgermeister: Sie wollen uns von den Ratten und Mäusen befreien? Wie wollen Sie das tun? Schnell, schnell, erzählen Sie!
Ratsherren: Erzählen, erzählen!
Rattenfänger: Da ist nicht viel zu erzählen. Bis morgen abend werde ich die Stadt von allen Ratten und Mäusen befreit haben, wenn Sie mir einen Lohn von 100 Goldgulden geben.
Bürgermeister: Sagen Sie uns doch, wie Sie es machen wollen?

Rattenfänger: Das ist meine Sache. Ich befreie Sie von der schrecklichen Mäuse- und Rattenplage, Ihre Hausfrauen werden wieder froh, und Sie geben mir 100 Goldgulden. Das ist alles, was ich zu sagen habe.

Bürgermeister: 100 Goldgulden, das ist viel Geld.

1. Ratsherr: Versprechen Sie es ihm, Herr Bürgermeister; jeder Preis soll uns ja recht sein, wenn wir nur die Ratten und Mäuse loswerden.

2. Ratsherr: Gewiß, Herr Bürgermeister, jeder Preis soll uns recht sein.

3. und 4. Ratsherr: Jeder Preis ist uns recht.

Bürgermeister: Gut! Die 100 Goldgulden sollen Sie haben. Befreien Sie die Stadt Hameln von den Ratten und Mäusen und kommen Sie übermorgen wieder hierher, damit ich Ihnen den Lohn, die Goldgulden, geben kann.

Ratsherren: Das ist ein Wort!

Rattenfänger: Das sei ein Wort! Übermorgen, zur selben Stunde, werde ich wieder hier erscheinen, um die 100 Goldgulden abzuholen. (*Ab.*)

1. Ratsherr: Das nenne ich Glück! Gerade, wo wir in der größten Not sind, kommt die Hilfe.

2. Ratsherr: Das müssen wir doch sofort den Bürgern erzählen.

3. Ratsherr: Herr Bürgermeister, können wir nicht die Sitzung schließen?

Bürgermeister: Gut, ich schließe die Ratssitzung. Jeder möge dazu beitragen, daß die gute Nachricht schnell verbreitet wird. Ich bitte Sie, übermorgen um 10 Uhr sich wieder hier einzufinden.

(*Alle schnell ab.*)

(*Nach einer kleinen Pause hört man hinter der Szene eine feine Musik, vielleicht das Spiel einer Flöte oder Geige. Die Musik kommt näher und entfernt sich dann, immer leiser werdend.*)

(*Pause.*)

2. Bild

Szene wie im 1. Bilde.

Bürgermeister: Gott sei Dank, die Ratten und Mäuse sind wir los!

1. Ratsherr: Ja, war das nicht ein Glück, daß dieser Fremde nach Hameln kam?

2. Ratsherr: Habt Ihr sein Spiel gehört? Wir sollten ja diese Musik nie vergessen.

3. Ratsherr: Ja, sonderbar war es ja, daß die Ratten und Mäuse aus allen Löchern kamen und ihm folgten, als er spielend durch die Straßen ging.

4. Ratsherr: Ja, wirklich, es war sonderbar. Man möchte fast glauben, der Teufel habe ihm geholfen.

1. Ratsherr: Vielleicht hat er ihm auch geholfen. Wer weiß es?

Polizist: Herr Bürgermeister, der Fremde ist wieder da.

Bürgermeister: Führen Sie ihn sofort herein.

2. Ratsherr: Schade um das schöne Geld.

3. Ratsherr: 100 Goldgulden!

Polizist (*kommt mit dem Rattenfänger*).

Rattenfänger: Grüß Gott, Herr Bürgermeister!

Bürgermeister: Grüß Gott!

Rattenfänger: Herr Bürgermeister, von den Ratten und Mäusen habe ich die Stadt befreit, darf ich jetzt um das Geld, die 100 Goldgulden, bitten?

Bürgermeister: Ist es denn aber wahr, daß alle Ratten und Mäuse aus der Stadt sind? Kommen sie vielleicht auch wieder?

1. Ratsherr: Vielleicht sind sie morgen wieder da. Und Sie sind dann davon mit unseren schönen Goldgulden.

2. Ratsherr: Wie haben Sie denn die Ratten und Mäuse alle bekommen?

Rattenfänger: Das brauche ich Ihnen nicht zu sagen. Ich hatte versprochen, die Stadt von allen Ratten und

Mäusen zu befreien. Ich habe mein Wort gehalten. Herr Bürgermeister, geben Sie mir nun das versprochene Geld.

3. Ratsherr: Wenn Sie es uns nicht sagen können, wie Sie das Wunder vollbracht haben, dann sind Sie wohl ein Zauberer und ein guter Freund des Teufels?

4. Ratsherr: Meinen Sie, wir werfen dem Teufel 100 Goldgulden hin?

1. Ratsherr: Gehen Sie zu Ihrem Freunde, dem Teufel, lassen Sie sich von dem das Geld geben.

Bürgermeister: Von uns bekommen Sie nichts. Verlassen Sie sofort die Stadt, oder ich lasse Sie in den Turm werfen und wegen Zauberei an den Galgen hängen.

2. Ratsherr: Seien Sie froh, daß wir Sie noch laufen lassen.

Bürgermeister: Polizist, führen Sie den Mann hinaus!

Rattenfänger: Das ist Wortbruch! Lügner seid Ihr alle! Das sollt Ihr bedauern! Noch einmal komme ich, dann werdet Ihr weinen und wehklagen!

Alle: Hinaus! Hinaus!

(*Der Polizist führt den Rattenfänger hinaus.*)

3. Ratsherr: Ja, das haben wir gut gemacht. So schnell haben wir noch nie 100 Goldgulden für unsere Stadt verdient.

Bürgermeister: Bringen wir die gute Botschaft den Bürgern!

(*Alle schnell ab.*)

(*Nach einer kleinen Pause hört man wieder die feine Musik wie im ersten Bilde. Dann hört man Kinderlachen und das Geräusch von vielen Kinderfüßen.*)

(*Pause.*)

3. Bild

Szene wie im 1. und 2. Bilde.

Bürgermeister und Ratsherren kommen langsam und mit ernsten Gesichtern. Sie setzen sich auf ihre Plätze und stützen den Kopf sinnend in die Hand.

1. Frau (*stürmt herein*): Herr Bürgermeister, alle unsere Kinder sind fort!

2. Frau: Wo sind unsere Kinder, wer gibt sie uns wieder?

3. Frau: Helfen Sie uns, Herr Bürgermeister, helfen Sie uns, unsere Kinder, unsere Kinder!

4. Frau: Nie wieder werden die Mütter von Hameln froh werden. Wo sind unsere Kinder?

1. Ratsherr: Ja, wo sind sie, wohin hat sie der Rattenfänger geführt?

2. Ratsherr: Wer hätte das gedacht!

3. Ratsherr: Und all das Leid, um 100 Goldgulden zu sparen.

4. Ratsherr: Um 100 Goldgulden ein Meer von Müttertränen!

Mütter: Gebt uns unsere Kinder wieder!

Bürgermeister: Wir müssen alles tun, was nur möglich ist. Vielleicht finden wir die Kinder noch.

1. Mutter: Die Bungelenstraße zum Koppenberg hinaus sind sie gezogen.

Alle Mütter: Zum Koppenberg, auf zum Koppenberg!

Bürgermeister: Ja, eilen wir, so schnell wir können, vielleicht können wir die Kinder noch retten.

Alle: Auf zum Koppenberg, auf zum Koppenberg!

(*Alle bis auf den 3. Ratsherrn ab.*)

3. Ratsherr: Ja, geht nur, viel Hoffnung ist nicht, daß Ihr eure Kinder je wiederseht. Und wir, die Väter der Stadt, wir haben die Schuld! Wir haben das Leid über die Eltern gebracht. Wann werden die Klagen der Mütter verstummen, wann werden wir wieder froh sein können? (*Kopfschüttelnd*) Und alles um 100 Goldgulden!

(*Ab.*)

1. Bild

Fragen

1. Wohin versetzt uns das Spiel? 2. Welche Personen lernen wir kennen? 3. Warum sind alle so aufgeregt? 4. Was wollen

die Bürger tun, wenn keine Abhilfe geschaffen wird? 5. Was verspricht der Mann? 6. Wieviel will er dafür haben? 7. Was denkt der Bürgermeister darüber? 8. Wie denkt der 2. Ratsherr? 9. Was verspricht der Bürgermeister dem Manne? 10. Was sollen die Ratsherren tun?

Übungen

A. *Setzen Sie statt der kursiv gedruckten Wörter Synonyme:*
  1. Aus dem Mehlkasten sprang eine *dicke* Ratte. 2. Eine Maus hatte sich ein Nest darin *gemacht*. 3. *Niemand* darf uns stören. 4. Da ist nicht viel zu *sagen*. 5. Übermorgen, zur selben *Zeit*, werde ich wiederkommen.

B. *Vervollständigen Sie die folgenden Sätze:*
  1. Es ist doch eine Plage mit —. 2. Sie fragen mich, was —. 3. Um jeden Preis muß man —. 4. Das ist alles, was —. 5. Jeder möge helfen, daß —.

C. *Erklären Sie die folgenden zusammengesetzten Wörter:* Goldgulden, Ratsherr, Rattenfänger, Ratsstube, Hausfrau, Bürgermeister.

D. *Geben Sie drei Antworten auf jede der folgenden Fragen:*
  1. Wen bitten wir um Hilfe? 2. Was fragen uns die Leute? 3. Worüber denken wir nach?

Aufgaben

1. Eine Bürgerfrau erzählt von den Ratten und Mäusen. 2. Der Rattenfänger spricht mit dem Polizisten. 3. Ein Ratsherr erzählt von der kommenden Hilfe.

2.–3. Bild

Fragen

1. Wie hat der Rattenfänger die Stadt von Ratten und Mäusen befreit? 2. Was glauben der 4. und der 1. Ratsherr? 3. Was verlangt der Rattenfänger vom Bürgermeister? 4. Was will der 2. Ratsherr wissen? 5. Was fragt der 3. Ratsherr den

Rattenfänger? 6. Mit welchen Worten schickt der Bürgermeister den Rattenfänger fort? 7. Was sagt der Rattenfänger? 8. Welche Nachricht bringen die Mütter? 9. Wohin eilen alle? 10. Was fürchtet der 3. Ratsherr?

Übungen

A. *Beginnen Sie die folgenden Sätze mit den kursiv gedruckten Wörtern:*

1. Ihr habt *sein Spiel* gehört. 2. Von den Ratten und Mäusen habe ich *die Stadt* befreit. 3. Vielleicht sind sie *morgen* wieder da. 4. Ich hatte versprochen, *die Stadt* von den Ratten und Mäusen zu befreien. 5. Wir haben *das Leid* über die Eltern gebracht.

B. *Beenden Sie die folgenden angefangenen Sätze:*

1. Wer hätte gedacht, daß —? 2. Ist es wahr, daß —? 3. Wenn ich noch einmal komme, dann —. 4. Wir müssen alles tun, was —. 5. Verlassen Sie die Stadt, oder —.

C. *Drücken Sie in den folgenden Sätzen das Gegenteil aus:*

1. Das ist kein Wortbruch. 2. Es ist nicht wahr, daß wir die Ratten und Mäuse los sind. 3. Die Mütter werden nie wieder froh sein. 4. Es ist viel Hoffnung, daß wir die Kinder finden. 5. Wir haben keine Schuld.

D. *Setzen Sie Fehlendes ein:*

1. Eilen wir z– Stadt, z– Park, z– Bibliothek! 2. Er ist davon mit uns– Goldgulden, mein– Fahrrad, dein– Büchern. 3. Bringen wir die gute Botschaft d– Bürgern, d– Nachbar, d– alten Frau!

Aufgaben

1. Der Bürgermeister von Hameln erzählt. 2. Der Rattenfänger erzählt. 3. Ein Schäfer erzählt die Geschichte 100 Jahre später einem Reisenden. 4. Erzählen Sie, wie Sie die Bühne einrichten würden.

Die Heimkehr am Weihnachtsabend

Ein Weihnachtsspiel

Personen: Die Mutter, Lisbeth, Heinke, Klaus, Thieß.
Die Bühne zeigt ein einfaches Zimmer in einem Hause an der See. An den Wänden sind Seebilder, auf einem kleinen Tisch steht ein Schiffsmodell. In der Mitte des Zimmers ist ein Tisch, ein zweiter Tisch oder andere Möbelstücke können nach Belieben aufgestellt werden. Wenn der Vorhang in die Höhe geht, sieht man *Lisbeth*, sie mag etwa 18 Jahre alt sein, mit dem Packen von Paketen beschäftigt. An dem Tisch in der Mitte ist *Heinke*, etwa 20 Jahre alt. Er befestigt den Tannenbaum in einem Ständer.

1. Auftritt

Heinke: So, da steht der Baum. (*Er tritt zurück und betrachtet den Baum.*) Es ist eine schöne Tanne. Ich denke, die Mutter wird zufrieden sein.

Lisbeth (*steht auf und tritt näher*): Ja, das ist wirklich ein schöner Baum, so gleichmäßig sind die Zweige an allen Seiten. Dann können wir ihn ja gleich schmücken. Da stehen schon die Schachteln mit dem Schmuck. Hoffentlich kommt Thieß dann bald, denn er wollte doch auch helfen.

Heinke: Der wird wohl wieder am Hafen sein.

Lisbeth: Ja, wo sollte er sonst sein! Jede freie Minute steht er dort und sieht den Fischern zu und betrachtet die einlaufenden und ausfahrenden Schiffe. Aber wir können ja immer anfangen, er wird jetzt bald kommen. (*Sie öffnet eine Schachtel und nimmt Kugeln heraus.*)

Heinke (*öffnet eine Schachtel und nimmt ebenfalls Christbaumschmuck heraus*): Sieh nur, da ist ja die große Kugel wieder! Die ist wohl bald so alt wie ich, ich kann mich wenigstens an sie erinnern, solange ich denken kann.

Lisbeth: Ist es nicht schön, immer wieder dieselben Schmuck-

stücke zu verwenden? Kommt es uns nicht vor, als
grüßten wir einen alten Freund?

Heinke: Du hast recht. Mir ist es immer, als erlebten wir
durch den alten Schmuck alle früheren Weihnachten
noch einmal.

Lisbeth: Ich habe aber auch einige neue Stücke gekauft,
auch etwas Engelshaar.

Heinke: Dann wird es ja ein recht schöner Christbaum
werden. (*Sie schmücken bei ihrer Unterhaltung den
Baum.*) Es ist nur zu schade, daß unsere Mutter zu
Weihnachten immer so still und traurig ist.

Lisbeth: Sie sitzt heute schon stundenlang oben am Fenster
und blickt auf die See hinaus. Kaum, daß sie etwas im
Hause tun mag. Und wenn ich sie ansehe, ist es mir,
als schimmerten ihre Augen feucht.

Heinke: Nachher wird sie wohl herunterkommen, sie wird
doch ihren Stern für den Baum bringen.

Lisbeth: Sie denkt wohl heute viel an unsern Vater.

Heinke: Es sind nun 12 Jahre her, seit wir die Nachricht
erhielten, daß er mit dem Schiff, auf dem er Steuermann
war, untergegangen sei. Das waren damals traurige
Weihnachten!

Lisbeth: Und dann den Kummer mit Klaus! Der dumme
Junge, warum mußte er der Mutter das antun und
weglaufen? Und gerade zu Weihnachten!

Heinke: Lisbeth, Du bist ein Mädchen, Du kannst es nicht
verstehen, was es für einen Jungen heißt, nicht zur See
gehen zu dürfen. Stundenlang stand er immer am Strande
und sah den vorüberfahrenden Seglern zu, blickte ihnen
nach, bis sie am Horizont verschwanden. Wie oft hat er
über das Verbot der Mutter gemurrt, wie oft habe ich ihn
in der Nacht weinen hören!

Lisbeth: Die Mutter wollte doch aber, er sollte kein Seemann werden, weil unser Vater auf der See geblieben ist.
Warum mußte Klaus da fortlaufen und der Mutter
diesen Schmerz antun?

Heinke: Warum, warum? Du weißt nicht, wie sauer es mir geworden ist, zu Hause zu bleiben, wo alle meine Schulkameraden zur See gehen durften. Heute noch, wo ich doch eine gute Stelle auf dem Hafenbüro habe, sehe ich mit Schmerzen die Schiffe nach fernen Ländern fahren. Manchmal öffne ich das Fenster und lasse die frische Salzluft hinein und den Wind, die mir vom weiten Meer erzählen können. Und wenn ich in meinen Rechnungen von Kaffee und Bananen und Baumwolle lese, dann höre ich im Geiste Palmen rauschen, und ich sehe Affen von Baum zu Baum sich schwingen und sehe die Schwarzen im Baumwollfelde arbeiten. Und das alles soll ich nie zu sehen bekommen! Die Wellen höre ich rauschen, allein, sie sollen mich nie in ferne Zonen tragen.

Lisbeth (*legt ihm den Arm um die Schulter*): Guter Junge! Ich glaube, ich kann Dich verstehen. Denke aber an unsere Mutter. Wie schwer hat sie es mit uns gehabt. Und ist sie nicht so besorgt um uns, eben weil sie uns liebt?

Heinke: Schon gut, Lisbeth. Ich bin ja auch zufrieden, nur manchmal kommen einem solche Gedanken, wenn z. B. wieder ein ganz besonders schönes Schiff einläuft. Darum kann ich aber auch verstehen, daß Klaus vor sechs Jahren in die Welt gegangen ist.

Lisbeth: Ich war damals noch jung, aber ich weiß noch, wie schwer es für die Mutter war. Tagelang, wochenlang ging sie zum Hafen und fragte alle Seeleute, ob sie Klaus nicht gesehen hätten.

Heinke: Und als dann endlich die Karte aus Liverpool kam, worauf er schrieb, daß es ihm gute gehe, und daß er nicht anders gekonnt habe, da wurde sie etwas ruhiger und hatte nun wieder Gedanken für ihre Arbeit.

Lisbeth: Vorgestern sah ich die Karte noch auf Mutters Nähtisch liegen. Wie oft hat sie die wohl schon gelesen!

Heinke: Es ist eben zu schwer für sie, Klaus in der Ferne und in tausend Gefahren zu wissen. Schriebe er doch nur einmal! Aber kein Lebenszeichen! Und der Gorch Vossen sagt doch, er habe ihn vor drei Jahren in Jokohama gesehen, er sei Matrose auf einem schwedischen Segelschiff gewesen.— Nun sind wir wohl fertig? Jetzt fehlt nur noch Mutters Stern. Willst Du sie nicht rufen, Lisbeth?

Lisbeth: Ja, ich werde zu ihr hinaufgehen. Du kannst ja noch etwas Engelshaar and Lametta auf den Baum tun. (*Ab.*)

2. AUFTRITT

Thieß (*stürmt herein*): Heinke, Heinke, das Schiff hättest Du sehen sollen!

Heinke: Nun, was gibt es denn? Wo warst Du denn solange? Du wolltest doch auch den Baum schmücken helfen?

Thieß: Im Hafen war ich. Da kam ein Dampfer, wie ich ihn noch nie gesehen habe. So ein Schiff! 20 500 Tonnen! Ölfeuerung! Und sauber, Du glaubst es nicht!

Heinke: Na, na. Unter welcher Flagge segelte er denn?

Thieß: Es ist ein Holländer, ,,Goodefroo" heißt er. Noch keine drei Jahre alt. Junge, Junge, Junge. Auf so einem Schiff möcht' ich einmal als Schiffsjunge fahren.

Heinke: Rede keinen Unsinn, Thieß, Du weißt, daß daraus nichts werden kann. Die Mutter erlaubt es nie.

Thieß: Aber andere Mütter erlauben es doch, daß ihre Jungen zur See gehen! Der Rudi Forster, der Otto Babendick, die wissen schon, auf welchen Schiffen sie ihre erste Reise machen werden. Und ich, ich —

Heinke: Pst, sei still, die Mutter kommt! Hier, hilf noch ein paar Kerzen befestigen.

3. AUFTRITT

Lisbeth: Sieh nur, Mutter, ist das nicht ein schöner Baum in diesem Jahre?

Mutter: Ja, er sieht sehr gut aus, viel schöner, als der, den wir im vorigen Jahre hatten.

Lisbeth: Heinke hat diesmal einen besonders schönen gefunden.

Heinke: Mutter, nun mußt Du aber noch Deinen Stern anhängen — der fehlt nur noch, und er macht doch jeden Christbaum erst wirklich schön.

Mutter: Hier ist er. (*Sie öffnet eine kleinere Schachtel, die sie in der Hand trägt.*)

Thieß: Da ist er ja, den haben wir doch immer an der Spitze hängen.

Mutter: Steig nur auf den Stuhl und hänge ihn auf, Thieß.

Lisbeth: Wie ein alter Freund wird er uns zunicken da oben.

Mutter: Er ist ja auch ein alter Freund. Genau zweiundzwanzig Jahre habe ich ihn. Es war die erste Weihnacht nach unserer Verheiratung. Euer Vater war zweiter Steuermann auf einem dänischen Dreimaster. Weihnachten kam immer näher und ich wußte nicht, ob der Vater noch zum Heiligen Abend nach Hause kommen würde, oder ob ich Weihnachten würde allein feiern müssen. Da, als es schon dunkel wurde und in den Nachbarhäusern bereits die ersten Kerzen angezündet wurden, trat er plötzlich ins Haus. Er brachte mir viele praktische und schöne Dinge von seiner Reise mit. Darunter war auch dieser Stern. Den hatte er in Kopenhagen von einem Manne auf der Straße gekauft. Wie froh waren wir doch, als nun die Kerzen brannten und der Stern von der Spitze unseres Christbaums leuchtete. Das waren wunderschöne Weihnachtstage. Daran soll mich der Stern immer erinnern.

Thieß (*hat den Stern aufgehängt, ist vom Stuhl heruntergestiegen*): Seht nur, wie er glänzt, wie ein Stern am Himmel, der dem Seemann den Weg zeigt.

Mutter (*ernst*): Ein Stern, der dem Seemann den Weg zeigt. Wollte Gott, ein guter Stern würde Klaus den Weg nach Hause zeigen! Wer weiß, ob er noch lebt!

Lisbeth (*legt den Arm um die Mutter*): Nicht doch, Mutter. Sei nicht so traurig, sieh, wir sind ja doch bei Dir, und Klaus wird auch wiederkommen.

Heinke: Kommt da nicht jemand?

Mutter: Mir war es auch, als wenn ich Schritte hörte.

Heinke (*am Fenster*): Gerade biegt jemand um die Ecke, es scheint ein Mann zu sein. Vielleicht ist es ein Bettler.

Mutter: Thieß, sieh doch einmal nach, wer es ist.

Thieß: Es wird doch nicht der Weihnachtsmann sein? Aber ich glaube ja nicht mehr an den Weihnachtsmann. (*Lachend ab.*)

Lisbeth: An den Weihnachtsmann glauben wir nicht mehr, wenn er aber doch käme, wie würden wir uns freuen!

Heinke: Und ob wir uns freuen würden!

Mutter (*lauscht nach der Tür*): Wer mag das nur so spät sein?

4. Auftritt

Thieß: Mutter, Mutter, komm' doch schnell. Da ist jemand, der Dich sprechen will.

Mutter: Mich sprechen? (*Ab.*)

Thieß: Ein Seemann ist es, und einen großen Sack hat er. Und als ich hinauskam, da stand er an der Tür und sagte nur: „Ist die Mutter da?" — Ich muß doch mal sehen, was er will. (*Ab.*)

Heinke: Merkwürdig ist das ja, gerade am Weihnachtsabend, wo doch jeder zu Hause ist.

Lisbeth: Nicht jeder; denke an die Heimatlosen, die kein Zuhause mehr haben.

5. Auftritt

Thieß: Der Klaus ist es, der Klaus! Der Klaus ist da!
Heinke: Was redest Du, Junge?
Lisbeth: Unser Klaus?

6. Auftritt

Zur Tür herein kommen die Mutter und Klaus. Er hat seinen Arm um die Mutter gelegt. Die drei im Zimmer umringen sie.

Lisbeth (*fällt ihm um den Hals*): Klaus, Klaus!

Heinke (*ergreift eine Hand*): Klaus, Bruder!

Mutter: Ja, es ist Klaus, unser Klaus!

Thieß: Und ich habe ihn nicht erkannt, als er nach der Mutter gefragt hat. Kennst Du mich denn nicht, ich bin doch der Thieß?

Klaus: Nein, Dich habe ich nicht erkannt, Du warst ja erst so groß, als ich fortging. Ach, ich bin ja so froh, nun wieder zu Hause zu sein, bei Dir, Mutter, bei Euch allen. Und wie glücklich ich bin, daß Du, Mutter, gesund bist und mir verzeihen willst. Du bist mir wirklich nicht mehr böse, daß ich Dir soviel Kummer bereitet habe?

Mutter (*drückt ihn an sich*): Wie kann ich denn, mein Sohn, ich bin ja so glücklich, Dich wiederzuhaben. Und sieh nur, wie wir uns alle freuen!

Thieß: Mit welchem Schiff bist Du denn gekommen?

Klaus: Mit der „Goodefroo".

Thieß: Das ist aber ein feines Schiff, ich habe es heute im Hafen einlaufen sehen. Auf so einem Schiff möchte ich meine... (*schlägt sich mit der Hand auf den Mund*) Mutter, sei nicht böse, ich, ich...

Heinke: Erzähle doch, Klaus, wo Du überall gewesen bist. Hast Du feuerspeiende Berge in Japan gesehen, warst Du auch in Buenos Aires, erzähl doch.

Lisbeth: Mutter, setze Dich doch, Du wirst uns ja krank von der Aufregung.

Mutter: Von der Freude, willst Du wohl sagen. Aber nein, ich bin so glücklich heute! Kinder, das sind doch meine schönsten Weihnachten! (*Setzt sich. Alle gruppieren sich um Klaus, der sich auch setzt.*)

Klaus: Ja, es ist Weihnachten. Den Baum habt Ihr schon fertig. Und alle die bunten Kugeln und Sterne, sie alle nicken mir zu: Willkommen daheim. Und da oben, da ist ja auch Mutters Stern. — Mein Stern! Als ich vor vier Monaten krank in einem Hospital in Singapore lag, da habe ich im Traum immer den Weihnachtsbaum zu Hause gesehen. Und der Stern ging vor mir her und zeigte mir den Weg. Ich folgte ihm durch Wüsten und Wälder, fuhr ihm nach übers Meer, bis er über unserm Hause stehenblieb. Und alles war, wie es heute gekommen ist. Die Mutter kam vor die Tür und — ich war ganz glücklich.

Mutter: Mein Stern hat Dir den Weg gezeigt.

Klaus: Als ich dann wieder gesund war, habe ich ein Schiff gesucht, das nach Deutschland fuhr, und ich fand die „Goodefroo". Unterwegs habe ich nur immer gewünscht, bis Weihnachten nach Hause zu kommen. Heute morgen, so gegen 10 Uhr, konnte ich die Heimatstadt schon sehen.

Thieß: Ich habe Dein Schiff gesehen. Noch drei Jahre, dann bin ich sechzehn, dann will ich als Schiffsjunge mit so einem Schiff... (*Er schlägt sich auf den Mund.*) Sei nicht böse, Mutter, ich sag es ja nicht wieder.

Mutter: Sprich es nur aus, was Du denkst.

Lisbeth: Mutter, es ist wohl so, daß ein richtiger Junge von der Wasserkante nicht anders kann. Die See ruft ihn, er muß dem Rufe folgen.

Mutter: Das muß wohl so sein. — — Das ist wohl das Schicksal der Frauen an der See, sie sehen ihre Männer und Söhne gehen und wissen, daß mancher nicht wiederkommen wird.

Klaus: Seefahrt ist not, Mutter. Sind doch seit Jahrhunderten unsere Schiffe über die Meere gefahren.

Mutter: Das habe ich in den letzten Tagen auch denken müssen. Tausendmal habe ich Dich verloren gesehen, tausendmal geglaubt, Du habest Dein Grab in den Wellen gefunden.

Heinke: Nun aber ist er wieder bei uns, Mutter, und Du siehst, daß das Meer nicht jeden verschlingt.

Mutter: Gott hat seine Hand über ihn gehalten. Wenn er unsern Klaus den Weg nach Haus geführt hat, warum, so frage ich, sollte er es nicht auch tun, wenn Thieß ein Seemann wird.

Thieß: Mutter, Mutter, ich darf...

Mutter: Ja, mein Junge. Wenn Du alt genug und gesund bist, dann sollst Du in Gottes Namen...

Thieß (*fällt ihr um den Hals*): Mutter, Mutter!

Klaus: Und ich, Mutter? Läßt Du mich dann auch wieder gehen, wenn mich die See ruft? Sieh, ich habe mir Geld gespart, es ist genug, daß ich zwei Jahre auf die Steuermannsschule gehen kann.

Thieß: Was, Steuermann willst Du werden? Dann beeile Dich nur, daß ich auf Deinem Schiff als Schiffsjunge fahren kann. Nicht wahr, Mutter, das wäre doch praktisch, Du würdest Dich dann nicht so um mich sorgen.

Lisbeth: Wenn Ihr dann von einer langen Reise zurückkehrt, bringt Ihr uns Landratten immer etwas Schönes mit.

Klaus: Das ist doch selbstverständlich. Doch ich habe es ja ganz vergessen, in meinem Seemannssack sind auch ein paar Kleinigkeiten für Euch. Es ist ja Weihnachten.

Mutter: So glücklich sind wir beisammen, daß wir gar nicht mehr an Weihnachten gedacht haben. Seht doch nur, wie der Stern glänzt, Dein Stern, Klaus, der Dir den Weg nach Hause gezeigt hat!

Heinke: Wahrhaftig, es ist schon fast zehn Uhr, bald werden die Glocken zur Christmette rufen. Wollen wir nicht alle zur Kirche gehen?

Mutter: Ja, das wollen wir. Vorher aber wollen wir schon die Kerzen anzünden.

Thieß: Und die Weihnachtsgeschenke, wann bekommen wir die?

Mutter: Das schönste Weihnachtsgeschenk haben wir schon bekommen, unsern Klaus. Weil es jetzt zur Bescherung zu spät ist, müssen wir damit warten, bis wir aus der Kirche nach Hause kommen.

(*Heinke und Thieß zünden die Kerzen an.*)

Klaus: Seht nur, wie Mutters Stern funkelt!

Lisbeth: Dein Stern, unser Stern.

Mutter: Gestern war ich so traurig, heute noch habe ich immer wieder auf das Meer hinausgesehen, als ob ich von dort etwas zu erwarten hätte. Wie frohe und schöne Weihnachten feiern wir nun. Laßt uns darum das Lied von der fröhlichen und seligen Weihnacht singen. Dann aber wollen wir zur Kirche gehen und von Herzen Gott danken, daß er uns so reich beschenkt hat.

Alle (*singen das bekannte Weihnachtslied*): O du fröhliche, o du selige . . .

(*Vorhang fällt.*)

1. Auftritt

Fragen

1. Wo ist der Schauplatz der Handlung? 2. Wann spielt die Handlung? 3. Wer sind die Personen? 4. Womit sind Heinke und Lisbeth beschäftigt? 5. Was hören wir von Thieß? 6. Was hören wir von Klaus? 7. Warum ist die Mutter traurig? 8. Was wird uns vom Vater berichtet? 9. Warum ist Heinke nicht zur See gegangen? 10. Was hört und sieht er oft im Geiste bei seiner Büroarbeit?

Übungen

A. *Beenden Sie jeden der angefangenen Sätze auf zweifache Weise:*
1. Jede freie Minute —. 2. Es ist schön, immer wieder —. 3. Ich kann es verstehen, daß —. 4. Im Geiste höre ich —. 5. Stundenlang stand er —.

B. *Fehlendes ist zu ergänzen:*
1. Ich kann mich an d– Mann, d– Schiff, d– alte Frau erinnern. 2. Er sah d– Mutter, d– Bruder, d– Arbeitern

zu. 3. Wir blickten d– Schiffen, d– Vater, d– Auto nach. 4. Ich habe ihn vor ein– Woche, ein– Jahre, ein– Monat gesehen.

Aufgaben

1. Wie Heinke und Lisbeth den Christbaum schmücken. 2. Warum die Mutter oft so traurig ist. 3. Warum Heinke oft traurig ist.

2.–5. AUFTRITT

Fragen

1. Was für ein Schiff hat Thieß gesehen? 2. Wann hat die Mutter den Stern bekommen? 3. Wo hatte der Vater ihn gekauft? 4. Woran wird die Mutter durch den Stern erinnert? 5. Was wünscht die Mutter? 6. Wen sieht Heinke kommen? 7. Wen schickt die Mutter zur Tür? 8. Wen ruft Thieß?

Übungen

A. *Fehlendes ist zu ergänzen:*
    1. Man kauft etwas auf d– Straße, in d– Laden, an d– Tür. 2. Er brachte mir ei– Stern, ei– Kleid, ei– Uhr. 3. Der Mann stand an d– Tür, unter d– Fenster, auf d– Straße, vor d– Hause. 4. Wir denken an d– kranken Seemann, d– heimatlose Mädchen, d– arme Kind.

B. *Welche Adjektive sind mit den folgenden Hauptwörtern verwandt:* Dunkelheit, Schönheit, Merkwürdigkeit, Verheiratung, Krankheit?

C. *Wie heißt das Gegenteil von:* hell, unpraktisch, unsauber, gut, nie, sterben?

Aufgaben

1. Die Geschichte des Sterns. 2. Wie eine Frau am Heiligen Abend große Freude erlebte.

6. Auftritt

Fragen

1. Warum ist Klaus froh? 2. Wonach fragt ihn Heinke? 3. Worüber freut sich die Mutter? 4. Wo ist Klaus im Hospital gewesen? 5. Wovon hat er dort geträumt? 6. Wann ist Klaus in der Heimatstadt angekommen? 7. Was will er mit seinem ersparten Gelde tun? 8. Wann soll die Bescherung sein? 9. Mit welchem Liede schließt das Spiel? 10. Was zeigt, daß wir in einem Seemannshause sind?

Übungen

A. *Beenden Sie jeden der folgenden angefangenen Sätze auf zweifache Weise:*
  1. Ich bin froh, daß —. 2. Noch drei Jahre, dann —. 3. Weil es so spät ist, —. 4. Wollen wir nicht —? 5. Seht nur, wie —.

B. *Gebrauchen Sie in den folgenden Sätzen die angegebenen Konjunktionen:*
  1. daß. So glücklich sind wir. Wir denken nicht an Weihnachten. 2. weil. Wir müssen mit der Bescherung warten. Es ist zu spät. 3. als. Du warst so groß. Ich ging fort. 4. denn. Ich habe mich beeilt. Ich will um 8 Uhr zu Hause sein. 5. während. Ich habe oft an ihn gedacht. Ich war im Hospital.

C. *Welche Verben sind mit den folgenden Hauptwörtern verwandt:*
  Gruppe, Traum, Bescherung, Dank, Verzeihung, Erzählung?

Aufgaben

1. Klaus erzählt von seiner Krankheit und Heimkehr. 2. Die Mutter erzählt einer Nachbarin von ihrem Weihnachtsabend. 3. Thieß erzählt, warum er froh ist.

Auf der Eisenbahn

Ein kleines dramatisches Spiel

Ort: Ein Eisenbahnabteil
Personen: 1. Bäuerin, 2. Bäuerin, ein Herr, ein Schaffner.

1. Auftritt

Die Bühne zeigt das Innere eines Eisenbahnabteils. An der linken und an der rechten Seite ist eine Bank. Darüber sind Gepäckhalter und Gepäcknetze. (Siehe „Sprachbrockhaus", Seite 143!) Man hört allerlei Geräusche, wie man sie auf einem Bahnhof vernehmen kann. Von verschiedenen Stimmen wird gerufen: Warme Würstchen, belegte Brötchen! — Reiselektüre! — Berliner Tageblatt! — Erfrischungen! — Obst gefällig? — Bier gefällig? — Reiselektüre! — Zigarren! Zigaretten! usw.

1. Bäuerin (*kommt eilig, einen großen Korb am Arm, läuft hin und her, sieht zum Fenster hinaus*): Hoffentlich ist das der richtige Zug! Das fehlte noch, daß ich in einen falschen Zug einsteige! Und ganz allein im Abteil. Das will mir nicht gefallen, da kann man sich ja nichts erzählen.

Herr (*im Mantel, eine Zeitung in der Tasche, kommt und setzt sich in eine Ecke. Er entfaltet die Zeitung und beginnt zu lesen.*)

1. Bäuerin: Das ist doch wohl der richtige Zug?

Herr: Das kann ich nicht wissen.

1. Bäuerin: Meinen Sie nicht auch, der Zug könnte nun abfahren?

Herr (*nickt mit dem Kopfe*): Ja, ja.

1. Bäuerin: Sie lesen da wohl eine interessante Geschichte in der Zeitung? Ich lese die immer am Sonntag. In der Woche habe ich keine Zeit dazu. Die Stadtleute können das wohl, die haben ja nichts zu tun und können den ganzen Tag spazierengehen. Wir armen Bauern müssen den ganzen Tag arbeiten. Die Beamten aber rauchen die dicksten Zigarren und tun nichts, höchstens die Leute ärgern. Geht der Zug nicht endlich los?

Herr (*blickt über seine Zeitung*): Der geht überhaupt nicht, der fährt. Und nun lassen Sie mich in Ruhe.

1. Bäuerin: Seien Sie doch nicht so unfreundlich. Ich werde Sie nicht beißen.

Herr (*verbirgt sich ärgerlich hinter der Zeitung*).

(*Draußen wird gerufen: "Alles einsteigen!" Man hört die Geräusche eines abfahrenden Zuges.*)

1. Bäuerin (*am Fenster*): Schnell, schnell, wenn Sie noch mitwollen! (*Man hört einen langen Pfiff.*) Der Zugführer pfeift schon! Schnell, schnell!

2. Auftritt

2. Bäuerin (*ganz erschöpft, mit vielen Paketen und einem großen Korb*): Gott sei Dank! Da wäre ich doch bald zu spät gekommen. Fast wäre mir der Zug vor der Nase weggefahren.

1. Bäuerin: Ja, da haben Sie Glück gehabt. Mein Vater sagte immer: Besser fünf Minuten zu früh auf dem Bahnhof, als eine Minute zu spät.

2. Bäuerin: Da hat er sehr recht gehabt.

1. Bäuerin: Sagen Sie einmal, Sie kommen mir doch so bekannt vor?

2. Bäuerin: Sie mir auch. — Sind Sie denn nicht Frau Jungklaus aus Karlsdorf?

1. Bäuerin: Ja, natürlich. Und sind Sie denn nicht die Luise, die drei Jahre bei unserm Pastor gedient hat? Die Luise Breitkreuz?

2. Bäuerin: Luise heiße ich schon und beim Pastor bin ich auch drei Jahre gewesen, jetzt heiße ich aber Sauerbruch, ich bin nämlich seit drei Jahren verheiratet.

1. Bäuerin: Das ist aber fein! (*Schüttelt ihr die Hand.*) Da gratuliere ich auch. Also verheiratet sind Sie. Hoffentlich haben Sie einen guten Mann bekommen? Haben Sie auch Kinder?

2. Bäuerin: Na gewiß doch! Unser Junge ist fast zwei Jahre alt. Sie sollten ihn nur sehen, meinen kleinen Fritz! Das blühende Leben! Er ist ganz der Vater, aber die Augen hat er doch von mir.

1. Bäuerin: Was macht denn Ihr Mann? Ist er auch Bauer?

2. Bäuerin: Ja, gewiß! Wir haben sechzig Morgen unter dem Pfluge, fast durchweg guten Weizenboden.

1. Bäuerin: Das freut mich aber wirklich, daß es Ihnen so gut geht, und daß wir uns hier getroffen haben. Da können wir uns doch etwas erzählen. (*Mit einem Seitenblick auf den Herrn.*) Es gibt ja so eingebildete Leute, die meinen, sie könnten sich mit einer Bauersfrau nichts erzählen.

2. Bäuerin: Ja, solche Leute gibt es wohl. Aber sagen Sie doch, wie geht es denn in Karlsdorf? Was macht Ihre Familie?

1. Bäuerin: Im Dorfe geht alles den alten Gang. Vorige Woche ist der Dachdecker Bornstein, Sie kennen ihn ja, vom Dach gefallen und hat sich den Arm gebrochen. Letzten Montag sind die Pferde mit dem Karl Schmidt durchgegangen, es ist aber nichts passiert. — Na und meine Familie? — Der Gustav ist schon konfirmiert und hilft fleißig in der Wirtschaft. Der fährt schon mit den Pferden wie ein Alter. Und der Otto, der ist schon elf und ist auch ein tüchtiger Junge. Die Grete hat letzte Ostern angefangen, in die Schule zu gehen. Ja, die Zeit vergeht.

2. Bäuerin: An unsern Kindern sehen wir am besten, daß wir älter werden. Und wie geht es Ihrem Mann?

1. Bäuerin: Recht gut! Im Frühjahr hatte er nur mächtiges Reißen in den Beinen, jetzt ist er wieder ganz auf dem Posten.

2. Bäuerin: Wie war denn die letzte Ernte? Waren die Kartoffeln gut?

1. Bäuerin (*sich erst umsehend*): Ja, was soll man da sagen? Wissen Sie, als Bauer muß man ja immer klagen. Das wissen Sie ja, sonst meinen die Leute, jeder Bauer sei ein Millionär. Unter uns gesagt: Die Ernte war wirklich gut, sehr gut. Der Weizen hat geschüttet, wie lange nicht mehr. Und mit dem Vieh hatten wir auch Glück. Wir haben zwei Kühe und vier Kälber verkauft und auch fünf fette Schweine. Es war wirklich ein gutes Jahr!

2. Bäuerin: So etwas hört man gern.

1. Bäuerin: Natürlich sage ich das nicht, wenn ich aufs Finanzamt komme. Den Leuten erzähle ich etwas ganz anderes. (*Der Herr blickt über seine Zeitung, liest dann weiter.*)

2. Bäuerin: Müssen Sie denn wegen der Steuern aufs Finanzamt?

1. Bäuerin: Wissen Sie, mein Mann, der will immer gleich die Steuern bezahlen, wenn er den Steuerzettel bekommen hat. „Gustav", sage ich dann, „wer wird denn den Beamten das schöne Geld geben? Das laß mich nur machen."

2. Bäuerin: Und was tun Sie dann?

1. Bäuerin: Das ist sehr einfach. Ich gehe aufs Finanzamt und sage dem Beamten, daß wir das Geld nicht aufbringen könnten. Wir hätten eine Kuh verloren, ein Kalb sei uns eingegangen, und das Frühjahrswasser hätte uns den ganzen Weizen verdorben.

2. Bäuerin: Ist das denn wahr?

1. Bäuerin: Natürlich nicht. Aber die Beamten sind ja so dumm, die verstehen ja nichts von der Bauernwirtschaft. (*Der Herr blickt über seine Zeitung.*) Die können mir doch nicht nachrechnen, was ich im Jahre eingenommen habe. Woher wissen die, wieviel wir ernten? Ich erzähle ihnen, daß die Mäuse viel zerstört hätten; Sie wissen ja, was man so erzählen kann.

2. Bäuerin: Das scheint mir doch etwas gefährlich, Frau Jungklaus. Dazu hätte ich nicht den Mut.

1. Bäuerin: Nicht den Mut? Na hören Sie! — Die Beamten sind ja so dumm, daß sie vor Dummheit nicht geradeaus sehen können. Mir kann so ein Beamter nichts erzählen, da muß er sich schon eine andere suchen.

3. Auftritt

Schaffner: Die Fahrkarten, bitte!
Herr (*gibt stillschweigend seine Fahrkarte*).
Schaffner: Danke! (*Nimmt die Fahrkarte der 2. Bäuerin, locht sie und gibt sie zurück.*) Danke! — Na und Sie? Sie können wohl Ihre Fahrkarte nicht finden?
1. Bäuerin (*in allen Taschen und im Korbe suchend*): Ich habe sie doch gehabt. Wo ist sie nur?
Schaffner: Sehen Sie doch mal im Portemonnaie nach!
1. Bäuerin (*tut es*): Ja, wahrhaftig! Hier ist sie! Wie haben Sie denn das gewußt? Das habe ich ja gar nicht gedacht, daß ein Beamter so klug ist.
Schaffner: Dazu ist nicht viel Verstand nötig. Die meisten Bauersfrauen tun ihre Fahrkarte ins Portemonnaie. (*Nimmt die Karte.*) Sagen Sie mal, wohin wollen Sie denn?
1. Bäuerin: So eine dumme Frage, nach Karlsdorf natürlich.
Schaffner: Meine Frage ist gar nicht so dumm. Dieser Zug fährt nicht nach Karlsdorf. Unsere nächste Station ist Luisenwalde.
1. Bäuerin: Ja, wie ist denn das möglich? Nein, daß mir so etwas passieren muß! (*Sich zu dem Herrn wendend.*) Und Sie, warum haben Sie es mir denn nicht gesagt, ich habe Sie doch gefragt, ob das der richtige Zug ist?
Herr: Erlauben Sie, ich bin kein Auskunftsbeamter. Sie sind doch sonst so schlau.
Schaffner: Da bleibt nichts anderes übrig, Sie müssen auf der nächsten Station umsteigen und mit dem nächsten Zuge zurückfahren.
1. Bäuerin: Da muß ich ja eine neue Fahrkarte lösen?

Schaffner: Nicht nur das. Sie haben diesen Zug ohne richtige Fahrkarte benutzt und müssen darum eine Karte nachlösen. Gleich wird der Zug halten, dann gehe ich mit Ihnen zum Stationsvorsteher und bringe die Sache in Ordnung. Sie müssen aber den doppelten Preis zahlen, weil Sie ohne Fahrkarte gefahren sind.

1. Bäuerin: Was? — Sie sind wohl ...

Schaffner: Schweigen Sie lieber, es war nur Ihre Schuld. Hätten Sie besser aufgepaßt, so wäre es Ihnen nicht passiert. — Da hält der Zug schon. Kommen Sie nur sogleich mit mir zum Stationsvorsteher.

1. Bäuerin: Aber das ist ja schrecklich! In den falschen Zug zu steigen, nachzuzahlen und auch noch viel später nach Hause zu kommen! Nein, aber so etwas kann auch mir nur passieren! Ich bin doch sonst nicht auf den Kopf gefallen! Ja, so geht es im Leben ...

2. Bäuerin (*hilft beim Zusammennehmen der Pakete*): Das war aber Pech, liebe Frau Jungklaus. Sie tun mir wirklich leid! Nehmen Sie es aber nicht zu schwer. Es geschehen noch viel schlimmere Dinge im Leben. Grüßen Sie alle Karlsdorfer von mir, besonders aber Ihre Familie.

1. Bäuerin: Auf Wiedersehen, Frau Sauerbruch. Nein, daß mir so etwas passieren muß! Was wird nur mein Mann sagen? — Ich könnte rasend werden.

Schaffner: Kommen Sie nur, wir haben nur drei Minuten Aufenthalt.

Herr (*steht auf*): Wenn Sie das nächste Mal aufs Finanzamt kommen, vergessen Sie nur nicht, nach Inspektor Dosenbach zu fragen. Das bin nämlich ich. Und wegen Ihrer Steuern werden Sie schon einen Brief bekommen. Wir werden Ihre Steuerzahlungen der letzten Jahre genau nachprüfen. Ich denke, wir werden nicht zu dumm sein, manchen Fehler zu entdecken. Ich weiß heute schon, daß Sie eine gute Nachzahlung werden machen müssen. Und vielleicht können wir Ihnen auch noch eine Strafe aufdrücken. Sie werden dann sicher Ihre Ansicht über die Beamten ändern und nicht mehr unsere Gutmütigkeit als Dummheit ausposaunen.

1. Bäuerin: Ach du meine Güte! Auch das noch! Finanzinspektor sind Sie? Das hätte ich mir doch gleich denken können, als Sie so unfreundlich waren. Da habe ich mir ja eine schöne Suppe eingebrockt!

Herr: Und Sie werden sie auslöffeln müssen, darauf können Sie sich verlassen.

1. Bäuerin: Nein, aber so etwas! Das muß mir auch gerade passieren! (*Ab mit dem Schaffner.*)
(*Vorhang fällt.*)

1.–2. AUFTRITT

Fragen

1. Wohin versetzt uns das Spiel? 2. Welche Personen reisen in dem Abteil? 3. Was sieht man in dem Abteil? 4. Was hört man draußen rufen? 5. Was zeigt, daß die 1. Bäuerin gern spricht? 6. Was denkt sie von den Beamten? 7. Was zeigt, daß der Herr sich nicht unterhalten will? 8. Woher kennen sich die beiden Bäuerinnen? 9. Worüber unterhalten sie sich? 10. Was erzählt die 1. Bäuerin dem Finanzbeamten, wenn sie Steuern bezahlen soll?

Übungen

A. *Ersetzen Sie die kursiv gedruckten Wörter und Ausdrücke durch andere:*

1. Die Beamten rauchen die *teuersten* Zigarren. 2. Hoffentlich haben Sie einen *netten* Mann bekommen. 3. Der Zugführer *gibt schon das Signal*. 4. Mit dem Vieh *ging es auch gut*. 5. Sie wissen ja, was man alles *erzählen* kann.

B. *Vervollständigen Sie jeden der folgenden angefangenen Sätze auf zweifache Weise:*

1. Es gefällt mir nicht, daß —. 2. Hoffentlich bekomme

ich —. 3. Erzählen Sie mir doch —. 4. Du kannst wohl — nicht finden? 5. Sind Sie nicht Fräulein — aus —?

C. *Erklären Sie folgende Wörter:* Gepäcknetz, Reiselektüre, Dachdecker, Bahnhofsbuchhandlung, Gepäckträger, Zugführer.

Aufgaben

1. Die 1. Bäuerin erzählt von der Ernte. 2. Was der Herr im Abteil denkt. 3. Beschreibung des Abteils und der Personen.

3. Auftritt

Fragen

1. Mit welchen Worten betritt der Schaffner das Abteil? 2. Wo sucht die Bäuerin ihre Fahrkarte? 3. Worüber wundert sie sich? 4. Was sagt ihr der Schaffner? 5. Was soll die Frau tun? 6. Warum muß sie den doppelten Preis für die Fahrkarte zahlen? 7. Wie wird sie von der 2. Bäuerin getröstet? 8. Warum kann die Bäuerin von einem Unglückstag sprechen? 9. Was hat sie aus ihrem Erlebnis gelernt?

Übungen

A. *Setzen Sie die folgenden Sätze in den Plural:*
   1. Der Reisende muß eine Fahrkarte kaufen. 2. Ich bin kein Auskunftsbeamter. 3. Gleich wird der Zug halten. 4. Sie haben den Zug ohne Fahrkarte benutzt. 5. Du darfst nicht in den falschen Zug steigen.
B. *Ersetzen Sie die kursiv gedruckten Wörter durch andere:*
   1. Das mir so etwas *geschehen* muß! 2. Sie sind doch sonst so *klug!* 3. Kommen Sie *sofort* mit zum Stationsvorsteher. 4. Sie werden eine *hohe* Nachzahlung machen müssen. 5. Wir werden manchen Fehler *finden.*

C. *Geben Sie fünf Antworten auf jede der folgenden Fragen:*
    1. Was tut der Schaffner? 2. Was hat die Bäuerin getan? 3. Was wird der Bauer tun?

D. *Erklären Sie die Wörter:* einsteigen, umsteigen, aussteigen; kaufen, verkaufen; Finanzamt, Finanzinspektor.

Aufgaben

1. Was ein Schaffner zu tun hat. 2. Die Bäuerin erzählt ihrem Manne, was sie erlebt hat. 3. Die 2. Bäuerin erzählt das Erlebnis ihrer Nachbarin. 4. Der Finanzinspektor erzählt das Erlebnis.

Explanatory Notes

This vocabulary aims to be complete. As an aid to students in elementary courses, a number of inflected forms have been entered as separate items when it appeared that this might facilitate a more rapid, idiomatic comprehension of the text. Such entries include some comparative and superlative forms of adjectives, adjectives used as nouns, declensional forms of personal pronouns, irregular forms of **werden** and modal auxiliaries, and subjunctive forms.

Proper nouns have not been generally listed unless special significance has been attached to them.

A dash (—) stands for a key word.

Notes. All notes have been included in the vocabulary. Likewise, all translations of idioms and of numerous grammatical constructions are to be found under key words.

Nouns. Gender is indicated by **der, die, das** preceding the noun. If the article is not commonly used with the noun, it is placed in parentheses. The genitive singular and nominative plural of all nouns are indicated, including more complete forms of irregular plural spellings and accents. (*Adj. infl.*) designates nouns that follow the adjective inflection, e.g. **der Beamte, der Fremde,** etc. Wherever the plural is omitted, it is either very rare or else it does not exist.

Verbs. Strong and irregular verbs are followed by their complete principal parts. An infinitive without principal parts indicates a regular weak verb. An asterisk (*) following a compound verb signifies that the principal parts are to be found under the simple verb. Separable verbs are designated by a hyphen (-) between the prefix and the stem. Verbs used with the auxiliary **sein** are followed by (**s.**).

Adjectives and Adverbs. If the key word is used as an adjective and an adverb in the text, both English equivalents (e.g. *good, well*) are given or the adverbial *–ly* is added in parentheses; e.g. *punctual(ly)*. Present participles and past participles which are used as adjectives or adverbs are entered separately. The Umlauts in the comparative and superlative forms are indicated by (⸚) following the key entry.

Accent. The accent is marked only where its position might be doubtful.

Abbreviations

abbr.	abbreviation	*gen.*	genitive
acc.	accusative	*imp.*	impersonal
adj.	adjective	*inf.*	infinitive
art.	article	*infl.*	inflection
aux.	auxiliary	*intr.*	intransitive
cf.	confer, compare	*nom.*	nominative
coll.	colloquial	*pass.*	passive
comp.	comparative	*per.*	personal
conj.	conjunction	*pl.*	plural
dat.	dative	*poss.*	possessive
def.	definite	*pro.*	pronoun
dem.	demonstrative	*refl.*	reflexive
e.g.	for example	*rel.*	relative
expl.	expletive	*S. G.*	South German
fem.	feminine	*subj.*	subjunctive
fig.	figurative	*trans.*	transitive
fut.	future		

Vocabulary

A

ab off, away; — **September** beginning September; (*stage directions*) exit
ab-brechen* to break off
der **Abend, –s, –e** evening, night; **guten —!** good evening!
das **Abendessen, –s, —** evening meal; supper, dinner
aber but, however; (*in exclamations*) indeed; my, but; **das ist — fein!** my, but that's fine!
ab-fahren* (**s.**) to leave, depart
ab-fahrend departing; **eines —en Zuges** of a departing train
abgebrochen broken off
abgemacht agreed, O.K., all right
ab-heben, hob ab, abgehoben to withdraw; **Geld —** withdraw money
die **Abhilfe, —** relief, aid
ab-holen to call for; collect
ab-liefern to deliver
ab-machen to arrange, settle
ab-nehmen* to take off; **den Hörer —** pick up the receiver (phone)
abonnie′ren (**auf,** *acc.*) to subscribe (to)
der **Absatz, –es, ⁻e** heel (*of a shoe*)
ab-schmieren (*cf.* **schmieren**) to grease, lubricate
ab-schreiben* to copy
der **Absender, –s, —** sender; return address
ab-stellen to turn (*or* switch) off
das **Abteil, –s, –e** compartment (*on a train*)
ab-wischen to wipe (off)
ab-ziehen* to deduct; **... lasse mir das Geld von meinem Lohn —** have the money deducted from my pay check
ach! oh!
acht eight
achten (**auf,** *acc.*) to pay attention (to)
achtundvierzig forty-eight
achtundzwanzig twenty-eight
achtzehn eighteen
das **Adjektiv′, –s, –e** adjective
die **Adres′se, —, –n** address
das **Adverb′, –s, –ien** adverb
der **Affe, –n, –n** ape, monkey
ahnen to foresee, anticipate; suspect; **ich habe es geahnt, daß ...** I suspected that ...
all all, every; **—e sieben Minuten** every seven minutes
allein′(e) alone, by oneself; **ganz —** all alone; (*conj.*) but
allerdings′ to be sure
allerlei all kinds of
alles everything; **das —** all (of) that; **—, was ...** all that ...
allgemein general; **im —en** in general, generally
das **Alpenveilchen,** (*pronounce* **v** *like* **f**) **–s, —** (*a flower*) cyclamen [Alpine violet]
als as; than; (*conj.*) as, when;

als (ob) as though; **als (wenn)** as if
also thus, so; therefore, then; — **gut** all right then
alt (⸚) old; **sie ist zwölf Jahre —** she is twelve years old
der **Altar'**, **-s, Altäre** altar
der **Alte**, **-n, -n** (*adj. infl.*) old man; **wie ein —r** like an old hand
das **Alter, -s, —** age; old age
älter old, elderly; **eine —e Dame** an elderly lady
der **Ältere, -n, -n** (*adj. infl.*) older one; older man
(das) **Ame'rika, -s** America
amerika'nisch American
das **Amt, -es, ⸚er** office; telephone exchange; **hier —!** operator! number please?
das **Amtszimmer, -s, —** office (*room*)
an (*dat.*) at; near, by; on; (*acc.*) to, up to; on; **— den General'-Anzeiger (den Agen'ten,** *etc.*) to be sent to the General Advertiser (the agent, *etc.*)
an-bieten* to offer
ander other, different; **ein anderer (eine andere)** someone else; **nichts anderes** nothing else
ändern to alter, change
anders otherwise, different(ly); **er kann nicht —** he can't help it; **er kann nicht — als ...** he can't help but ...
der **Anfang, -s, ⸚e** beginning, start
an-fangen* to begin, start
der **Anfänger, -s, —** beginner
anfangs to begin with

der **Anfangsbuchstabe, -n, -n** initial letter (*of a word*)
an-fertigen to make, prepare
an-führen to dupe, put (one) over on
die **Angabe, —, -n** information, particulars
an-geben* to give, indicate
das **Angebot, -s, -e** offer, bid; inquiry (*concerning an advertisement*); **—e mit Berufsangabe** inquiries and offers naming occupation
angefangen begun; **—er Satz** incomplete sentence
angeführt indicated, listed
an-gehen* (s.) to go on (*e.g. a light*); begin
angehend beginning, budding; **die —en Kapitalisten** budding (young) capitalists
der **Angestellte, -n, -n** (*adj. infl.*) employee; **ein —r** an employee
an-haben* to have on
an-hängen (an, *acc.*) to attach (to); hang up (on); **den Hörer —** hang up the receiver (phone)
an-hören to listen to; **sich —** sound; **es hört sich gut an** it sounds all right
an-kommen* (s.) to arrive
an-lassen* to start (*a motor*)
der **Anlasser, -s, —** starter
die **Anlaßschwierigkeit, —, -en** trouble starting car
an-legen to invest
an-nagen to gnaw (nibble) at
an-nehmen* to accept
an-probieren to try on
die **Anrede, —, -n** salutation

an-reden to address, accost, speak to
an-rufen* to call (up)
die **Ansage**, —, -n announcement
an-schauen to look at; **sich etwas** — examine, take a look at
an-sehen* to look at, regard; **sich etwas** — look over, examine, look at carefully; **darf ich mir den anderen Schuh mal** —? may I just take a look at that other shoe?
die **Ansicht**, —, -en opinion
die **Ansichtskarte**, —, -n picture post card
an-springen* (s.) to start; **der Motor springt an** the motor starts
der **Anstand**, -s decency, grace; good form
die **Anstandsregel**, —, -n rule of etiquette
anstatt' (*gen.*) instead of, in place of
an-stellen to turn (*or* switch) on
die **Antenne**, —, -n antenna
der **Antennenanschluß**, -sses, ⸺sse antenna connection
an-tun* (*dat.*) to inflict upon, do something to (someone)
die **Anzeige**, —, -n notice; advertisement; **die kleine —** want ad
an-zeigen to advertise
der **Anzeiger**, -s, — advertiser
an-ziehen* to put on
der **Anzug**, -s, ⸺e suit (of clothes)
an-zünden to light
der **Apfel**, -s, ⸺ apple
der **Apfelkuchen**, -s, — apple cake (*or* kuchen)

die **Apfelsi'ne**, —, -n orange
die **Apothe'ke**, —, -n drugstore, pharmacy
der **Apothe'ker**, -s — druggist, pharmacist
der **Apparat'**, -s, -e apparatus, set
der **Appetit'**, -s, -e appetite; — **haben auf** (*acc.*) to be hungry for
appetit'lich appetizing, tasty
die **Arbeit**, —, -en work, job; **bei der —** during work, while working; **die häusliche —** homework
arbeiten to work
der **Arbeiter**, -s, — worker
der **Arbeitgeber**, -s, — employer
der **Arbeitnehmer**, -s, — employee
der **Arbeitstisch**, -es, -e work(ing) table, study table
ärgerlich vexed, angry
ärgern to vex, annoy; **sich — über** (*acc.*) be angry (*or* vexed) at
der **Arm**, -(e)s, -e arm
die **Armbanduhr**, —, -en wrist watch
die **Arznei'**, —, -en medicine
der **Arzt**, -es, ⸺e physician, doctor
der **Ast**, -es, ⸺e branch, limb
atmen to breathe
das **Attribut'**, -(e)s, -e attribute; adjective
auch also, too; likewise; **aber —** certainly; **— nicht** (*also* **— kein-**) neither, nor; not (nor) ... either; **— nie** neither ... (ever); **— schon** already; **wir gehen daher — täglich spa-**

zieren we therefore go ahead and take a walk daily
auf (*dat.*) on, upon; at; (*acc.*) on, unto, upon; to, toward
auf-bringen* to raise (*e.g. money*)
der **Aufenthalt, -s, -e** stay, stopover
auf-fordern (**zu**, *inf.*, *dat.*) to invite (to), ask (to do)
die **Aufgabe, —, -n** task; assignment
der **Aufgang, -s, ⸗e** stairs
auf-geben* to give up; assign (*e.g. a lesson*); turn in; send (*e.g. a telegram*)
aufgeregt excited
auf-halten* to delay
auf-hängen to hang up
auf-heben* to pick up; keep, preserve
auf-hören to stop, cease; **— zu** (*inf.*) stop ... ing; **warum hören beide auf zu sprechen?** why do both of them stop talking?
auf-kleben to paste (*or* stick) on
auf-legen to put on; **den Hörer —** hang up the receiver (phone)
auf-machen to open
auf-passen (**auf**, *acc.*) to pay attention (to); look out (for)
auf-pumpen to pump up, inflate; **stärker —** pump up more (harder)
die **Aufregung, —, -en** excitement
der **Aufsatz, -es, ⸗e** composition
auf-schreiben* to write down, record
die **Aufschrift, —, -en** address; inscription

auf-setzen to put on; **er setzt sich den Hut auf** he puts on his hat
auf-sitzen* to sit up
auf-springen* (**s.**) to jump up
auf-stehen* (**s.**) to get (stand) up
auf-stellen to set up
auf-treten* (**s.**) to appear; come on the stage
auftretend appearing (*on stage*); **die —e Person** character (*in a play*)
der **Auftritt, -s, -e** scene
auf-ziehen* to wind (up)
das **Auge, -s, -n** eye
der **Augenblick, -s, -e** moment, instant; **einen —** (for) a moment, one moment
augenblicklich momentary; at the moment, for the time being
aus (*dat.*) out of, from; of
sich aus-breiten to spread; **die Äste sollten sich etwas mehr —** the branches ought to spread out a bit more
der **Ausdruck, -s, ⸗e** expression
aus-drücken to press (out), squeeze; express; **in einer Lauge —** wash in suds without rubbing
ausfahrend outgoing, departing
der **Ausflug, -s, ⸗e** trip, excursion; **einen — machen** to go on an excursion
aus-fragen to question, interview
aus-füllen to fill out (*or* in)
die **Ausgabe, —, -n** expenditure
der **Ausgang, -s, ⸗e** way out, exit
aus-geben* to spend (*money*)
ausgefüllt filled out; **das —e Formular** the completed blank (questionnaire, *etc.*)
aus-gehen* (**s.**) to go out

152

ausgestellt displayed, on display
ausgezeichnet excellent(ly)
die **Auskunft,** —, ⸚e information
der **Auskunftsbeamte,** –n, –n (*adj. infl.*) information clerk
der **Ausländer,** –s, — foreigner
aus-löffeln to dip out with a spoon; **... und Sie werden sie — müssen** (*play on words*) and you'll have to see how you get out of it
aus-machen to make a difference; **es macht (mir) nichts aus** it doesn't make any difference (to me); **was macht es aus?** what's the difference?
aus-posaunen, posaunte aus, ausposaunt to announce loudly
aus-pressen to press (out); **zwischen Tüchern —** (pat) dry between cloths
aus-schalten to switch off; release
aus-schimpfen to scold
aus-sehen* to look (like), appear; **wie hat er ausgesehen?** what did he look like?
das **Aussehen,** –s appearance
außer (*dat.*) besides
die **Aussicht,** —, –en view; **freie —** open (*or* unobstructed) view
die **Aussprache,** —, –n pronunciation
aus-sprechen* to pronounce, utter, express, say
aus-steigen* (**s.**) to get (*or* climb) out; **alles aussteigen!** all out!
aus-stellen to display, put on display
aus-suchen to pick out, select
die **Auswahl,** —, –en selection, assortment

auswendig for memory, by heart; **— lernen** to memorize
aus-ziehen* to take off
das **Auto,** –s, –s automobile, car; **— fahren** to drive a car
der **Autofahrer,** –s, — car driver
die **Autofahrt,** —, –en drive, car ride, motor trip
das **Automobil',** –s, –e motorcar, automobile
die **Autowerkstatt,** —, ⸚en automobile repair shop, garage
die **Aza'lie,** —, –n (*a flower*) azalea

B

backen, backte *or* **buk, gebacken; er bäckt** to bake
der **Bäcker,** –s, — baker; **bei einem —** at a baker's shop; **bei einem — arbeiten** to work for a baker
die **Backware,** —, –n (article of) baked goods
das **Bad,** –(e)s, ⸚er bath
die **Badbenützung,** — use of bathroom
die **Bahn,** —, –en railroad; road, track
der **Bahnhof,** –s, ⸚e railroad station; **auf dem —** at the station
die **Bahnhofstraße,** — *name of street leading to railroad station*
bald soon
baldig speedy
der **Balkon',** –s, –e balcony
der **Balkon'platz,** –es, ⸚e seat in the balcony (*of a theater*)
der **Ball,** –(e)s, ⸚e ball; dance, ball
die **Bana'ne,** —, –n banana
die **Bank,** —, ⸚e bench, seat

die **Bank**, —, -en bank; **auf der — ** in the bank
das **Bankbuch**, -(e)s, ⁻er bank-account book
das **Bankkonto**, -s, -s *or* **Bankkonten** bank account
der **Bärenhunger**, -s hunger of a bear; **ich habe einen —** I'm as hungry as a wolf
das **Bargeld**, -(e)s, -er cash, ready money
die **Baskenmütze**, —, -n béret (*type of cap*)
der **Baßton**, -s, ⁻e bass (*tone*)
die **Batterie'**, —, -n battery
bauen to build
der **Bauer**, -s *or* -n, -n farmer, peasant
die **Bäuerin**, —, -nen countrywoman, farmer's wife
der **Bauernjunge**, -n, -n countryboy
die **Bauernwirtschaft**, —, -en management of a farm, farmwork, farming; farm
die **Bauersfrau**, —, -en farmer's wife
der **Baum**, -(e)s, ⁻e tree
das **Bäumchen**, -s, — little tree
die **Baumwolle**, — cotton
das **Baumwollfeld**, -(e)s, -er cotton field
beabsichtigen to intend (to do)
beachten to heed, notice, observe
der **Beamte**, -n, -n (*adj. infl.*) official, public officer, clerk; **ein Beamter** an official
die **Beamtin**, —, -nen woman official, clerk
beantworten to answer, reply to
die **Beantwortung**, —, -en answering

bedauern to regret
bedecken to cover (up)
bedeckt covered
bedeuten to mean, signify
die **Bedeutung**, —, -en meaning
bedienen to serve, wait on; operate (*e.g. apparatus, machine, etc.*)
sich **bedienen** to help oneself
die **Bedienung**, — service
der **Bedienungsknopf**, -(e)s, ⁻e switch (*or* dialing) button (*or* knob)
die **Bedingung**, —, -en condition; (*pl.*) terms, prerequisites
sich **beeilen** to hasten, hurry
beenden to complete
der **Befehl**, -(e)s, -e command, order
befehlen, befahl, befohlen; er befiehlt to order, require
die **Befehlsform**, —, -en imperative (form)
befestigen to fasten
sich **befinden*** to be (located)
befreien to free, deliver, liberate
sich **begeben*** to betake oneself, go; **sich — zu** (*dat.*) go to
begegnen (s.) (*dat. of person*) to meet
die **Begegnung**, —, -en meeting, encounter
sich **begeistern** (**für**, *acc.*) to become enthusiastic (about)
beginnen, begann, begonnen to start
begrüßen to greet, welcome, say hello (to)
der **Behälter**, -s, — receptacle; tank
bei (*dat.*) at, with; during, while; near, by; at the place of; **beim**

Einsteigen on entering; **beim Sprechen** while speaking; — **mir (im Hause)** at my house; — **uns** at our place (house); **beim Professor** at the professor's office; **beim Schuhmacher** at the shoemaker's (shop)

bei-bringen* to impart, teach

beide both, two; **—s** both

bei-legen to enclose, include; **zum Beilegen** to enclose, for the purpose of enclosing

das **Bein, –es, –e** leg; **auf den —en sein** to be up, be out of bed, be on one's feet

beisam′men together

das **Beispiel, –s, –e** example; **zum —** (z. B.) for instance, e.g.

beißen, biß, gebissen to bite

bei-tragen* to contribute; help; **dazu —, daß** ... **verbreitet wird** contribute to the spreading of ..., help spread ...

bekäme (cf. **bekommen**) would get

bekannt known, familiar, acquainted; **Sie kommen mir so — vor** you seem so familiar to me (or don't I know you?)

der **Bekannte, –n, –n** (adj. infl.) acquaintance; **ein —r** a gentleman acquaintance

sich **beklagen** to complain

bekommen* to get, receive; (s.) agree with; **von wem bekommt man etwas geschenkt** who's going to give anybody a present? **es ist mir gut —** it agreed with me

belegen to cover, spread

belegt: —es Brötchen sandwich

belehren to teach (a lesson in)

das **Belieben, –s** liking; **nach —** as much as one likes, at pleasure

benachrichtigen to inform, notify

sich **benehmen*** to behave, act

benutzen or **benützen** to utilize, use; **sie sind zu —** they are to be used

das **Benzin′, –s** gasoline, benzine

bequem convenient, comfortable

die **Bereifung, —, –en** set of tires, tires

bereiten to prepare; cause

bereits already

der **Berg, –(e)s, –e** mountain, hill

berichten to report

das **Berliner Tageblatt, –s** (cf. **Tageblatt**) Berlin Journal (a well-known Berlin newspaper)

der **Beruf, –s, –e** profession, occupation

die **Berufsangabe, —, –n** information about one's occupation

berufstätig active in a profession, employed

beruhigt calmed down

berühmt famous, celebrated

berühren to touch, handle

beschädigt damaged

beschäftigen to occupy

beschäftigt occupied, busy

beschenken to give (presents)

die **Bescherung, —, –en** giving (or exchange) of presents

beschreiben* to describe

die **Beschreibung, —, –en** description

besetzt occupied

besichtigen to view; visit

die **Besichtigung, —, –en** view, inspection; visit

die **Besichtigungskarte,** —, -n admission ticket (*permitting one to visit, inspect, etc.*)
besitzen* to possess, own
der **Besitzer,** -s, — proprietor, owner
besohlen to sole, put soles on; **neu — lassen** have resoled
besonders especially
besorgen to take care of
besorgt anxious, troubled; **um etwas — sein** to be anxious (*or* worried) about something
besser better
(sich) **bessern** to better, improve; reform
die **Besserung,** —, -en improvement; recovery
best–: best; **am —en** best, better; **dann gehen wir wohl am —en** I suppose we had better go (then); **—en Dank** thank you very much; **der —e** the best one
bestellen to order, place an order; send for, call for
die **Bestellung,** —, -en order; delivery (*of a letter, papers, etc.*)
bestimmt definite(ly); **ganz —** most certainly
der **Besuch,** -es, -e company, visitors
besuchen to call on, visit, go to see; attend (*school, a meeting, etc.*)
der **Besucher,** -s, — caller, visitor; sightseer
betrachten to look at, watch
betragen* to amount to
betreffen* to concern; **was die erste Million betrifft,** ... as far as the first million is concerned

betreten* to set foot on
das **Betreten,** -s stepping on
das **Bett,** -es, -en bed
der **Bettler,** -s, — beggar
die **Bewegung,** —, -en movement; motion; **sich in — setzen** to start to move *or* be set in motion; **in — bringen** start, set in motion
beweisen, bewies, bewiesen to prove
bewölkt cloudy
bewundern to admire
bezahlen to pay; **bezahlt werden** get paid
bezeichnen to designate
beziehen* to subscribe to; **sich — auf** (*acc.*) refer to
die **Bibliothek',** —, -en library
biegen, bog, gebogen to turn
das **Bier,** -(e)s, -e beer; **— gefällig?** would you like (some) beer?
bieten, bot, geboten to offer
das **Bild,** -es, -er picture; scene
bilden to form
die **Bildergalerie,** —, -n art gallery
die **Bildersammlung,** —, -en collection of pictures, art collection
billig cheap; reasonable
billigst– cheapest; **den —en** (*acc.*) the cheapest one
bis to, up to; until; (*conj.*) until; **— in die Stadt** all the way into town; **— morgen abend** by tomorrow evening (night); **— später!** good-bye until later, I'll be seeing you later; **— auf** except; **alle — auf** ... all but ...; **— an die Tür** up to the

door; — **zum Ende** on (down) to the end; — **zum Abendessen sind wir wieder zu Hause** we'll be home by supper- (*or* dinner-)time

der **Bischof**, –s, ⸚e bishop

bitte! please; don't mention it, you're welcome; — **schön** you are (very) welcome, (if you) please; —? what do you wish?

bitten, bat, gebeten (um *acc.*) to ask (for), request; **es wird gebeten** it is requested, please

blättern (durch, *acc.*) to leaf (through), turn pages (of)

blau blue

der **Blaustift**, –s, –e pencil with blue lead, blue pencil

bleiben, blieb, ist geblieben to remain, stay; **stehen** — stop, remain standing

der **Bleistift**, –s, –e lead pencil

blicken to look, glance

die **Blinddarmentzündung**, —, –en appendicitis

die **Blinddarmoperation**, —, –en appendectomy

die **Blücherstraße**, — Blücher Street (*named after the famous Prussian general, Gebhard Leberecht von Blücher, 1742–1819*)

blühen to bloom, blossom; flourish

blühend flourishing; **das** —**e Leben** the picture of health; —**e Rosen** roses in bloom

die **Blume**, —, –n flower

der **Blumenfreund**, –(e)s, –e flower fancier, lover of flowers

der **Blumengarten**, –s, ⸚ flower garden

das **Blumengeschäft**, –s, –e flower shop, florist's shop

der **Blumenhändler**, –s, — florist

das **Blumenhaus**, –es, ⸚er florist's shop

der **Blumenkasten**, –s, (⸚) flower box

der **Blumenstrauß**, –es, ⸚e bouquet (*or* bunch) of flowers

der **Blumentisch**, –es, –e flower stand

die **Bluse**, —, –n blouse

der **Bogen**, –s, — sheet (*of paper*)

die **Bohne**, —, –n bean

der **Bond**, –s, –s bond

borgen to borrow; lend

böse bad; angry; **du bist mir nicht mehr** — you aren't angry at me any more

der **Bote**, –n –n messenger

die **Botschaft**, —, –en message

braten, briet, gebraten; er brät to roast, fry, broil, grill

brauchen to need, require; have to

braun brown; (*complexion*) tan(ned), sunburnt; **das Braun**, –s brown

(das) **Braunschweig**, –s Brunswick (*capital city of German state of same name; contains well-known monument and fountain in commemoration of Till Eulenspiegel*)

brechen, brach, gebrochen; er bricht to break

die **Bremse**, —, –n brake

bremsen to put on the brake(s)

brennen, brannte, gebrannt to burn

der **Brief**, –(e)s, –e letter

157

die **Briefadresse**, —, –n address (*of a letter*)
der **Briefeinwurf**, –s, ⸚e letter slot
der **Briefkasten**, –s, (⸚) letter (*or* mail) box
die **Briefmarke**, —, –n postage stamp
der **Briefmarkenschalter**, –s, — stamp window (*in post office*)
das **Briefpapier**, –s, –e letter paper, stationery
der **Briefstil**, –s, –e correspondence (*or* epistolary) style
das **Brieftelegramm**, –s, –e lettergram, night letter
der **Briefträger**, –s, — letter (*or* mail) carrier
der **Briefumschlag**, –s, ⸚e letter envelope
die **Briefwaage**, —, –n letter balance (scale)
die **Brille**, —, –n eyeglasses
bringen, brachte, gebracht to bring; take; **ins Haus —** deliver to one's house; **bringen wir ...** let us bring (take)
das **Brot**, –es, –e bread; loaf of bread
das **Brötchen**, –s, — roll
der **Brotkasten**, –s, (⸚) bread box
der **Bruder**, –s, ⸚ brother; *cf.* **Geschwister**
das **Buch**, –es, ⸚er book
die **Bücherei'**, —, –en library
der **Buchhändler**, –s, — bookseller (dealer)
die **Buchhandlung**, —, –en bookstore
der **Buchstabe**, –n(s), –n letter (*of the alphabet*)
sich **bücken** to bend, stoop

die **Bügelanstalt**, —, –en *cf.* **Wasch- und Bügelanstalt**
bügeln to press, iron
die **Bühne**, —, –n stage
die **Bungelenstraße**, — Bungelen Street (*a street in Hameln leading out to the Koppenberg, a hill near the town*)
bunt many-colored; gay
die **Burg**, —, –en castle
bürgen (**für**, *acc.*) to guarantee, stand for
der **Bürger**, –s, — citizen; person of the middle class; (*pl.*) town (*or* city) people
der **Bürgermeister**, –s, — mayor
der **Bürgersteig**, –s, –e sidewalk
das **Büro'**, –s, –s office
der **Busch**, –es, ⸚e bush
die **Butter**, — butter
das **Butterbrot**, –s, –e piece of bread and butter; sandwich; **— mit Käse** cheese sandwich

C

die **Chemie'**, — chemistry
das **Chemie'-Lehrbuch**, –s, ⸚er chemistry textbook
chemisch chemical; **— reinigen** to dry-clean; **— reinigen lassen** have dry cleaned
das **Chor**, –s, (⸚)e chancel, choir (*balcony in church for organ and singers in choir*)
der **Christbaum**, –s, ⸚e Christmas tree
der **Christbaumschmuck**, –s, –e Christmas tree decoration(s)
die **Christmette**, —, –n Christmas midnight Mass

158

das **College,** –(s), –s (*pronounce as in English*) college
der **College-Student,** –en, –en college student

D

da there; here; in that (*or* this) case; then; (*conj.*) since, as; (*as an expletive, sometimes unnecessary to translate*); **da sein** to be here; **da haben Sie Glück** in this case (*or* this time) you're lucky
dabei' at the same time, then; with it; besides, moreover
das **Dach,** –es, ⸚er roof
der **Dachdecker,** –s, — roofer, slater
dafür' for it (*or* that); in return for it (*or* that)
daheim' (at) home
daher' therefore
dahin' there, thither, to that place
damals at that time
die **Dame,** —, –n lady
der **Damenschuh,** –s, –e lady's shoe
damit' with it (*or* that); (*conj.*) that, so that
der **Dampfer,** –s, — steamer
dänisch Danish
danken (*dat.*) to thank; (**ich**) **danke** (I) thank you, (*in proper context*) no thank you; **danke schön** many thanks, thank you very much
dann then
daran' to it; of it; at it
darauf' on it (*or* that); to it; of it
daraus' out of it, of it

darf (*cf.* **dürfen**) am (*or* is) permitted (to); may
darfst (*cf.* **dürfen**) are permitted (to), may
darü'ber above it (*or* them), over it (*or* them); about that, concerning it
darum' therefore, that's why
darun'ter below it (*or* that) among them
daß that; **nur** — except that
das **Datum,** –s, **Daten** date
dauern to last; take
davon' of it (*or* that), from it (*or* that); about it (*or* that); away; **wir werden** — **essen** we'll eat some of it (*or* them)
dazu' to it; about it; for that; to go with it (*or* them); in addition to
die **Decke,** —, –n cover; ceiling; **bis zur** — up to the ceiling
decken to cover; set; **den Tisch** — set the table
dein, deine, dein your
dekorie'ren to decorate
denken, dachte, gedacht (**an,** *acc.*) to think (of), remember; — (**über,** *acc.*) think (about), reflect (on); **sich** (*dat.*) — imagine; **er denkt sich nichts dabei** he thinks nothing of it; **wer hätte das gedacht!** who would have imagined that! who could have foreseen that!
denn for; (*often used in questions*) do tell, tell me, really, why; **wie kann ich** —? tell me (*or* how in the world), can I?
die **Depe'sche,** —, –n dispatch, message, telegram
der, die, das (*def. art.*) the;

(*dem. adj.*) that, those; (*dem. pro.*) that one, he, she, it, they, those; (*rel. pro.*) who, which, that; (*often used in place of poss. adj.*); **er setzt den Hut auf** he puts on his hat

der-, die-, dasselbe the same

das **Dessert′, -s, -s** dessert

destilliert′ distilled

deswegen therefore, that's why

deutsch German; in German; **auf —** in German

(das) **Deutsch, (-en)** German (language)

der **Deutsche, -n, -n** (*adj. infl.*) the German

die **Deutschklasse, —, -n** German class

(das) **Deutschland, -s** Germany

der **Deutschlehrer, -s, —** teacher of German

die **Deutschlehrerin, —, -nen** German teacher (*woman*)

das **Deutschschreiben, -s** writing German

deutschsprachig German-speaking, German-language

das **Deutschsprechen, -s** (the) speaking (of) German

die **Deutschstunde, —, -n** German class

der **Deutschunterricht, -s** instruction in German, German class

der **Dezem′ber, -s** December

dick thick; fat; big, bulky

der **Dieb, -(e)s, -e** thief

dienen to serve; **— zu** (*dat.*) be used for (the purpose of); **womit kann (darf) ich Ihnen —?** what can I do for you? may I help you? **bei jemandem —** work for someone as a servant

der **Dienstag, -s, -e** Tuesday

dieser, diese, dieses this; this one; the latter

diesmal this time

diktie′ren to dictate

das **Ding, -es, -e** (*and* **-er**) thing

dir (*dat. of* **du**) to *or* for you, you

doch yet, though; I believe; after all; certainly; (*emphatic*) do; **kommen Sie — herein!** do come in! **erzähle doch!** do tell! (**aber**) **—** nevertheless, but; **— nicht** certainly not; **nicht —** oh no! please, don't! **ich möchte — einmal mit ihm sprechen** I would like to talk to him once; **das habe ich mir — gedacht** I thought so (*or* that's what I thought)

der **Doktor, -s, —o′ren** doctor

der **Dom, -es, -e** cathedral

der **Domhof, -es, ⸚e** cathedral courtyard

das **Doppelschlafzimmer, -s, —** double bedroom

doppelt double, twice

dort there

dorthin there, to there, thither

drama′tisch dramatic

(sich) **drängen** to press; crowd

drauf-kleben to paste on, put on it

draußen outside, out of doors; **nach — gehen** to go outside

der **Drehbleistift, -s, -e** automatic pencil

drehen to turn; **an etwas** (*dat.*) **—** turn something

der **Drehstift, -s, -e** *cf.* **Drehbleistift**

160

drei three
das **Dreieck,** –s, –e triangle; three corners
der **Dreimaster,** –s, — threemaster (*sailing vessel*)
das **Dreirad,** –s, ⸚er tricycle
dreißig thirty
dreiviertel three-quarters
dreizehn thirteen
dringend urgent, special
dritt– third
drohen to threaten
drüben over there; **da** — right over there
drücken to press; push; squeeze, pinch; **sie drückt ihn an sich** she hugs him; **der Schuh drückt** the shoe is tight
drückend pressing; tight; **der —e Schuh** the tight shoe
die **Drucktaste,** —, –n push button
der **Drucktastenwähler,** –s, — push-button selector
du you (*familiar form*)
duften to be fragrant
dumm (⸚) stupid, silly; awkward
die **Dummheit,** —, –en stupidity
dunkel dark
dunkelblau dark blue
dünn thin; narrow; slender
durch (*acc.*) through, by
sich **durch-drängen** to push one's way through
durch-gehen* (**s.**) to run away
durchgelaufen worn through
durch-lesen* to read through
durchsichtig transparent
durchweg entirely
dürfen, durfte, gedurft *or* **dürfen; er darf** may, can; to be allowed *or* permitted to; **das darf ich nicht** I'm not allowed to do that; **man darf nicht** one mustn't, there's no cause to; **dürfte ich . . . anbieten?** may (might) I offer you . . . ? **du darfst darum bitten** you may ask for it, you should say please; **warum denkt sie, daß sie das nicht tun darf?** why does she think that she dare not do it?
das **Dutzend,** –s, –e dozen; **ein — frische Eier** a dozen fresh eggs; **in —en** by the dozen

E

eben just (now)
ebenso just as; **ich sitze — gern oben** I like to sit up in the balcony just as well
die **Ecke,** —, –n corner
das **Eckgebäude,** –s, — corner building
ehe before
eher sooner
ehren to honor, respect; (**sehr) geehrter Herr** (**Herr Professor**) Dear Sir (*salutation in letters*)
das **Ei,** –es, –er egg
eigentlich actual(ly), real(ly)
die **Eile,** — haste, hurry; — **haben** to be in a hurry
eilen (**s.**) to hasten, hurry
eilig hasty, hastily, in a hurry; **Sie haben's aber —** my, but you're in a hurry
ein, eine, ein a, an, one; (*pro.*) **—em** to *or* for one, one (*dat. of* **man**); **einer** someone

ein-brocken to break and put into a soup; **sich eine schöne Suppe** — get oneself into a pretty mess
einfach simple, simply, plain(ly)
einfacher simpler, more simple
die **Einfahrt,** —, –en driveway
sich **ein-finden*** to present oneself, appear
ein-füllen* to fill in; — **lassen** have put in
der **Eingang,** –(e)s, ⸚e way in, entrance
eingebildet conceited
ein-gehen* (s.) to die (*of animals and plants*)
eingehend in detail
eingestellt adjusted, set, tuned in
ein-gießen* to pour (in)
einige a few, several
der **Einkauf,** –(e)s, ⸚e purchase
ein-kaufen to purchase, shop for
ein-laden, lud ein, eingeladen; *or* **lädt ein (zu)** to invite (to have, come to, *etc.*)
die **Einladung,** —, –en invitation
ein-laufen* (s.) to come in, arrive
einlaufend incoming
ein-lösen to cash; **einen Scheck** — cash a check
einmal once; just; please; **sagen Sie mir** — tell me please; **wir kommen bald** — we'll be coming sometime soon; **auf** — suddenly; **nicht** — not even; **noch** — once more, again; **doch** — after all, finally; **wieder** — (once) again
ein-nehmen* to take in
ein-packen to wrap up

ein-pflanzen to plant
ein-richten to arrange; furnish; set
die **Einrichtung,** —, –en arrangement
ein-schalten to turn on, switch on, shift into, let in; **den Gang** — shift into gear; **die Kupplung** — let in the clutch
ein-schenken to pour (in); **darf (dürfte) ich Ihnen eine Tasse Kaffee** —? may I pour a cup of coffee for you?
ein-setzen to insert
ein-stecken to put in; **einen Brief** — mail a letter; put into one's pocket (*purse, etc.*)
ein-steigen* (s.) to get in; **beim Einsteigen** when I got in
ein-stellen to tune in; adjust, set; **auf kurze oder lange Wellen** — switch over to short or long wave
ein-teilen to divide; classify
ein-treten* (s.) to come in, enter
der **Eintritt,** –s entry, entrance; **beim** — on (while) entering
die **Eintrittskarte,** —, –en admission ticket
ein-wickeln to wrap up
ein-zahlen to pay in, deposit
einzeln individual; various
das **Eis,** –es ice; ice cream; **eine Portion** — a helping (*or* order) of ice cream
die **Eisbahn,** —, –en ice-skating rink
das **Eisen,** –s, — iron
die **Eisenbahn,** —, –en railroad; **auf der** — on the train
das **Eisenbahnabteil,** –s, –e compartment (*in a railway coach*)

der **Eisenbahnschaffner,** –s, —
railroad conductor
eiskalt ice-cold
der **Eisschrank,** –(e)s, ⸚e icebox,
refrigerator
elektrisch electric(al)
elf eleven
das **Elfröhrengerät,** –s, –e eleven-
tube radio set
die **Eltern** (*pl.*) parents
der **Empfang,** –(e)s, ⸚e reception
empfangen, empfing, empfangen;
er **empfängt** to receive
der **Empfänger,** –s, — receiver;
addressee; receiving set
der **Empfangsapparat,** –s, –e receiving set
die **Empfangsdame,** —, –n re-
ceptionist
die **Empfangsstunde,** —, –n
visiting hour
das **Empfangszimmer,** –s, —
reception room
empfehlen, empfahl, empfohlen;
er **empfiehlt** to recommend
empfindlich sensitive, delicate
das **Ende,** –s, –n end, close,
finish; **zu** — **sein** to be finished
enden to end
endlich final(ly), at last
die **Energie',** —, –n energy; **Sie
haben aber eine** —**!** you certainly have a lot of energy
eng narrow; tight
das **Engelshaar,** –s, –e [angel's
hair] tinsel (*Christmas-tree
decoration*)
englisch English, in English
das **Englisch,** –en English (language); **im** —**en** in English
entdecken to discover
entfalten to unfold

entfernen to remove; **sich** —
withdraw, go away
entfernt' distant, remote; **weit** —
far away, very remote
entge'gen towards
entge'gengesetzt opposite
entgegen-kommen* (s.) to come
(*or* go) to meet, come towards
entgegen-springen* (s.) to jump
towards (up at)
enthalten* to contain, include
entkommen* (s.) to get away;
mir — get away from me
entlang' along; **die Straße** —
along the street
entlang-gehen* (s.) to go along
entlassen* to dismiss, discharge
entschuldigen to excuse; — **Sie
(mich)** excuse me; **sich** — excuse oneself, apologize
entweder ... oder either ... or
entwischen (s.) to slip away,
escape
er he
die **Erbse,** —, –n pea
der **Erdanschluß,** –sses, ⸚sse
ground connection
die **Erdbeere,** —, –n strawberry
die **Erdbeermarmela'de,** —, –n
strawberry jam
die **Erde,** —, –n earth; ground
erden to ground
erfahren* to learn, find out
erfinden* to invent, make up
die **Erfrischung,** —, –en refresh-
ment; drink
erfüllen to fulfil, complete
(das) **Erfurt,** –s Erfurt (*important
city in Prussia, about 14 miles
west of Weimar, Thuringia*)
ergänzen to complete, supple-
ment, add; fill in

ergreifen, ergriff, ergriffen to seize
erhalten* to receive, get
sich **erholen** to recover, get better
erinnern (**an,** *acc.*) to remind (of); **sich —** (**an, acc.**) remember, recall
die **Erinnerung, —, -en** remembrance; memory
sich **erkälten** to catch cold
die **Erkältung, —, -en** (common) cold
erkennen* to recognize; **— an** (*dat.*) recognize by
erklären to explain, interpret
sich **erkundigen** (**nach,** *dat.*) to inquire (about *or* after)
erlauben to permit, allow; **— Sie!** permit me, pardon me!
erleben to experience
das **Erlebnis, -ses, -se** experience; adventure; occurrence
ernst earnest(ly), serious(ly); grave(ly), stern(ly)
die **Ernte, —, -n** harvest, crop
ernten to harvest, gather in
eröffnen to open, start
erregt excited
erreichen to reach
der **Ersatz′, -es** replacement, substitute, equivalent
das **Ersatzblei, -s, -e** refill lead(s) (*for automatic pencils*)
das **Ersatzrad, -(e)s, ⸚er** spare wheel
erscheinen* (**s.**) to appear, make one's appearance
erschöpft exhausted
ersetzen to replace; compensate; **es ist zu —** it is to be replaced
ersparen to save up
erspart saved; **mein (unser) —es Geld** the money I (we) have saved
erst first; only, just; not until; **— gestern** just yesterday; **— morgen** not until tomorrow; **wenn... —** when once...; **...wie er — fragen könne...** how he could even ask; **der Stern macht jeden Christbaum — wirklich schön** no Christmas tree is really beautiful until the star is put on; **er kann — in einer Stunde kommen** he can't get there (is detained) for an hour
der **Erste, -n, -n** (*adj. infl.*) the first one
erstemal: das — the first time; **zum erstenmal** for the first time
erwarten to await, expect; **zu — sein** to be expected
erwidern to reply, respond; return (*e.g. a greeting*)
erzählen to relate, tell, narrate; **— von** (*dat.*) tell about; **sich etwas —** carry on a conversation, chat, gossip; **da kann man sich ja nichts —** why a person can't even carry on a conversation
erziehen* to bring up, educate
erzielen to obtain
erzogen brought up; **gut —** well-bred (reared)
es it; (*expl.*) **— muß etwas getan werden** something must be done
essen, aß, gegessen; er ißt to eat
das **Essen, -s, —** meal; food; **zum — ausgehen** to go out for a meal

die **Eßgabel**, —, –n table fork
der **Essig**, –s vinegar
der **Eßtisch**, –es, –e dining table
das **Eßzimmer**, –s, — dining room
etliche some, several, a few
etwa approximately, about
etwas something, anything; some, somewhat, a little; **so —** such a thing; **— höher** somewhat (*or* a little) higher
euer your
die **Eule**, —, –n owl
Eulenspiegel *cf.* Till Eulenspiegel
eventuell' possibly, as the case may be, if so desired

F

die **Fabrik'**, —, –en factory
das **Fach**, –es, ⸚er compartment; subject, special field
die **Fachleute** *cf.* Fachmann
der **Fachmann**, –(e)s, –männer *or* –leute expert, specialist
fahren, fuhr, ist gefahren; er fährt to ride, drive, travel; go, move, run (*pertaining to vehicles*); **der Zug geht nicht, er fährt** the train doesn't walk, it runs; **mit Pferden —** to drive horses; (*also trans.*) **er hat das Auto gefahren** he drove the car; **wie man Auto fährt** how to drive a car
der **Fahrer**, –s, — driver
der **Fahrgast**, –(e)s, ⸚e passenger
die **Fahrkarte**, —, –n ticket (*entitling one to travel*)
das **Fahrrad**, –(e)s, ⸚er bicycle
die **Fahrt**, —, –en ride, drive, trip

die **Fahrzeit**, —, –en time of departure
der **Fall**, –s, ⸚e case; **auf keinen —** by no means
fallen, fiel, ist gefallen; er fällt (auf, *acc.*) to fall, drop (on); **sie fällt ihm um den Hals** she puts her arms around his neck, hugs him
falsch wrong
falten to fold
die **Fami'lie**, —, –n family; **die — Hoffmann** the Hoffmann family
fangen, fing, gefangen; er fängt to catch
der **Fänger**, –s, — one who catches
das **Farbband**, –(e)s, ⸚er typewriter ribbon
die **Farbe**, —, –n color; (*of the skin*) complexion
färben to color, dye
die **Farm**, —, –en farm
fassen to take hold of; **zu — bekommen** lay hands on
fast almost, nearly
faul lazy
der **Fausthandschuh**, –s, –e mitten
der **Februar**, –s February
die **Feder**, —, –n feather; spring; pen
federleicht light as a feather, feathery
fehlen to miss; be absent; be wanting (*or* missing); **was fehlt Ihnen?** what is the matter with you? **das fehlt noch, daß...** that would be the limit if...; **es darf nicht —** it must not be left out (off)

das **Fehlende,** –n, –n (*adj. infl.*) that which is missing (*or* left out); blank; **Fehlendes ist einzusetzen** blanks are to be filled in
der **Fehler,** –s, — mistake
die **Feier,** —, –n celebration, festival, party
feiern to celebrate
fein fine; delicate
das **Feld,** –es, –er field, meadow; **auf dem —e** in the field
die **Feldblume,** —, –n flower of the field, wild flower
das **Femininum,** –s Feminina feminine form of a word
das **Fenster,** –s, — window
die **Ferien** (*pl.*) vacation
fern far, distant, remote
die **Ferne,** —, –n distance
das **Fernsprechamt,** –(e)s, ⸗er telephone office; operator
das **Fernsprechbuch,** –(e)s, ⸗er telephone book (*or* directory)
der **Fernsprecher,** –s, — telephone
das **Fernsprechfräulein,** –s, — telephone operator
die **Fernsprechnummer,** —, –n telephone number
fertig ready; finished, done
fest-halten* to hold fast; stick to
fett fat
feucht moist, damp
das **Feuer,** –s, — fire
feuerrot (as) red as fire, fiery red
feuerspeiend spitting fire, volcanic
die **Fichte,** —, –n spruce
das **Fieber,** –s, — fever
die **Figur,** —, –en figure

der **Film,** –s, –e film, moving picture
die **Filmschauspielerin,** —, –nen movie actress
das **Finanz′amt,** –(e)s, ⸗er tax office, office of internal revenue; **auf das — gehen** to go to the tax office
der **Finanz′inspektor,** –s, –en tax official, official in office of internal revenue
finden, fand, gefunden to find; think
der **Finger,** –s, — finger
der **Fischer,** –s, — fisherman
die **Fläche,** —, –n surface; area
die **Flagge,** —, –n flag
das **Fläschchen,** –s, — little bottle, flask
die **Flasche,** —, –n bottle; **eine kleine — Essig** a little bottle of vinegar
der **Fleck,** –s, –e spot; stain
das **Fleckenwasser,** –s, — spot remover
das **Fleisch,** –es meat
der **Fleiß,** –es diligence, industry; **ohne — keinen Preis** no pains no gains
fleißig diligent(ly), industrious(ly)
flicken to mend, repair; **— lassen** have repaired
der **Flieger,** –s, — aviator, pilot; **bei den —n eintreten** to join the air force
fließen, floß, ist geflossen to flow
fließend running; fluent(ly); **—es Wasser** running water; **er spricht — deutsch** he speaks German fluently
die **Flocke,** —, –n flake
die **Flöte,** —, –n flute

166

das **Flugzeug**, –s, –e airplane
folgen (s.) to follow
folgend following; **Folgendes** that which follows
fordern to demand, ask for
die **Form**, —, –en form
das **Formular'**, –s, –e form, blank
fort gone
fort-gehen* (s.) to go away
fort-laufen* (s.) to run away
fort-setzen to continue
die **Frage**, —, –n question; **eine — stellen** to ask a question; **nicht in — kommen** be out of the question, be impossible
fragen (**nach**, *dat.*) to ask (about *or* for)
französ'isch French, in French
(das) **Französ'isch**, (–en) French (language)
die **Frau**, —, –en woman; wife, Mrs.
das **Fräulein**, –s, — young lady; Miss
frei free, open; vacant, blank, unoccupied
freier (*comp.*) freer; less formal
der **Freitag**, –s, –e Friday
fremd strange; foreign
der **Fremde**, –n, –n (*adj. infl.*) stranger; foreigner; **ein —r** a stranger
der **Fremdenführer**, –s, — (tourist) guide; guidebook
die **Freude**, —, –n joy, delight, pleasure; **es hat mir — gemacht** I enjoyed it
sich **freuen** to be glad; **sich — auf** (*acc.*) look forward to; **sich — über** (*acc.*) be happy about; **das freut mich** I'm happy about that; **darauf freust du dich wohl sehr** I'm sure you're really looking forward to that
der **Freund**, –es, –e friend
die **Freundin**, —, –nen lady (*or* girl) friend
freundlich friendly, cheerful, kind
frieren, **fror**, **gefroren** to freeze, feel cold, get cold; **es friert einem die Nase** a person's nose feels cold; **da — einem Hände und Füße** under such conditions one's hands and feet get cold
frisch fresh, lively, brisk
froh glad, happy, joyful; **sei —!** be happy!
fröhlich merry, joyful, happy
frostig frosty
früh early; in the morning; **morgen —** tomorrow morning; **heute —** early this morning
früher earlier; former(ly)
das **Frühjahr**, –s, –e spring
das **Frühjahrswasser**, –s, — spring flood water
der **Frühling**, –s, –e spring
die **Frühlingsblume**, —, –n spring flower
der **Frühlingstag**, –s, –e spring day
frühmor'gens early in the morning
das **Frühstück**, –s, –e breakfast; **beim —** at breakfast
der **Frühstückstisch**, –es, –e breakfast table
führen to lead, conduct, guide; carry on; **an der Leine —** keep on a leash
der **Führer**, –s, — guidebook; guide; leader

der **Führersitz,** −es, −e driver's seat

der **Füllbleistift,** −(e)s, −e mechanical (re-fillable) pencil

füllen to fill; — **lassen** have filled

die **Füllfeder,** —, −n fountain pen

der **Füllfederhalter,** −s, — fountain pen

die **Füllfedertinte,** —, −n fountain-pen ink

fünf five

der **Fünfmarkschein,** −s, −e five-mark bill (*paper money*)

fünfundzwanzig twenty-five

fünfzig fifty

der **Fünfzigmark′schein,** −s, −e fifty-mark bill (*paper money*)

das **Fünfzigpfen′nigstück,** −s, −e fifty-pfennig piece (*coin*)

funkeln to glitter

für (*acc.*) for; in favor of; — **sich** to oneself

der **Fuß,** −es, ⸚e foot; **zu —gehen** to walk; **zu —** on foot

das **Fußballspiel,** −s, −e football game; **zum —** to the football game

die **Fußbank,** —, ⸚e footstool

G

die **Gabel,** —, −n fork

galant′ gallant, courteous

der **Galgen,** −s, — gallows

der **Gang,** −es, ⸚e walk; course, round; speed, gear; **erster —** low (gear); **zweiter —** intermediate; **dritter —** high (gear); **den —** (**die Gänge**) **schalten** to shift gear(s); **ich schalte den dritten — ein** I shift into high; **den alten — gehen** to go on as usual

die **Gans,** —, ⸚e goose

ganz whole, entire(ly), complete(ly)

das **Ganze,** −n (*adj. infl.*) the total; the entire selection (passage, *etc.*); **wieviel wird das — kosten?** how much will it cost altogether?

gar fully, quite; at all; **— kein-** none at all, not ... any at all; **— nicht** not at all, absolutely not

die **Gara′ge,** —, −n garage

garantie′ren (**für,** *acc.*) to guarantee

die **Garde′nia,** —, **Gardenien** gardenia

das **Gärtchen,** −s, — little garden

der **Garten,** −s, ⸚ garden; yard

das **Gartenfest,** −es, −e garden (*or* lawn) party

das **Gartenhaus,** −es, ⸚er summerhouse

das **Gartenhäuschen,** −s, — little summerhouse

der **Gartenschlauch,** −s, ⸚e garden hose

der **Gartentisch,** −es, −e garden (lawn) table

der **Gartenzaun,** −s, ⸚e (garden) fence

das **Gas,** −es, −e gas; **geben Sie jetzt —!** open the throttle now, go ahead and step on it!

das **Gasolin,** −s gasoline

der **Gastwirt,** −s, −e innkeeper

der **Gatte,** −n, −n husband

die **Gattin,** —, −nen wife

der **Gauner,** −s, — swindler, crook

168

das **Gebäck,** –s, –e pastry; cookies
das **Gebäude,** –s, — building
geben, gab, gegeben; er gibt to give; es gibt there is, there are, there will be; was läßt er sich von ihm —? (what does he have him give him) what does he request from him? nun was gibt's? well, what's up? ... was es bei uns gibt ... what we're having
gebrauchen to use
der **Geburtstag,** –s, –e birthday; zum — for one's birthday; morgen habe ich — tomorrow's my birthday
die **Geburtstagsfeier,** —, –n birthday party
das **Geburtstagsgeschenk,** –s, –e birthday present
der **Geburtstagskuchen,** –s, — birthday cake
der **Gedanke,** –ns, –n thought, idea
gedeckt covered; der —e Tisch, the table set for a meal
gedruckt printed; kursiv — printed in italics, italicized
geehrt *cf.* ehren
die **Gefahr,** —, –en danger, peril
gefährlich dangerous, risky
gefallen* to please; das (es) gefällt mir I like that (it); (*inversion*) mir gefällt er I like him; was gefällt Ihnen an (*dat.*)...? what do you like about...?
gefällig please, desired, would you like?
das **Gefrierschutzmittel,** –s, — anti-freeze mixture

gefüttert lined
gegen (*acc.*) towards; against; about
der **Gegenstand,** –(e)s, ⸚e subject
das **Gegenteil,** –s, –e opposite, antonym; im — on the contrary
gegenüber opposite, across from here
geheizt heated
gehen, ging, ist gegangen to go, run; (*most common meaning*) walk; — wir nun! let's go! beim Gehen while leaving; unter Leute — join (*or* mix) with people; es geht ihm gut he's all right; wie geht es Ihnen? how are you? mir geht's gut I'm getting along all right; wie geht es in Karlsdorf? how are things in Karlsdorf?
die **Geige,** —, –n violin
der **Geist,** –es, –er spirit; mind
gekleidet dressed
gelb yellow
das **Geld,** –es, –er money; schönes — good money; das genaue — the exact change
der **Geldkasten,** –s, (⸚) money box, cash box, strong box
die **Gelegenheit,** —, –en opportunity, occasion
das **Gemälde,** –s, — painting
das **Gemüse,** –s, — vegetable(s)
der **Gemüsegarten,** –s, ⸚ vegetable garden
der **Gemüsehändler,** –s, — vegetable dealer (*or* peddler)
genagelt nailed
genäht sewed, sewn

genau accurate(ly), exact(ly); close(ly), strict(ly); just; **ganz —** on the dot; **Sie nehmen alles so —** you are so particular about everything; **— wie ich** the same as I (have)

der **General'-Anzeiger, –s** (*cf.* **Anzeiger**) General Advertiser (*a newspaper*)

genug enough, sufficient

geöffnet opened; **nicht —** unopened, still closed

das **Gepäck, –s, –e** baggage

der **Gepäckhalter, –s, —** baggage rack

das **Gepäcknetz, –es, –e** baggage rack (*made of iron frame and netting*)

gepflanzt planted

gera′de straight; just (then *or* now); **—, wo...** just when ...; **— machen** to straighten

geradeaus′ straight ahead

das **Gerät, –(e)s, –e** apparatus, set

das **Geräusch, –es, –e** noise, sound

gern gladly, with pleasure; very much; **sehr —** with great pleasure; **— haben** to like; **ich tue es —** I like to do it; **ich hätte —...** I should like to have...; (es ist) **— geschehen** don't mention it, you're welcome

der **Geruch, –s, ⸚e** smell, odor, scent

das **Geschäft, –s, –e** business; store, shop

das **Geschäftsgeheimnis, –ses, –se** business secret

der **Geschäftsumschlag, –s, ⸚e** business envelope

geschehen, geschah, ist geschehen; es geschieht (*dat.*) to happen (to), occur (to), take place; **was soll mit den Absätzen —** what should be done to the heels; **gern —!** don't mention it! you're welcome!

das **Geschenk, –s, –e** present, gift

die **Geschichte, —, –n** story; affair

geschlossen closed

die **Geschwindigkeit, —, –en** speed, velocity

der **Geschwindigkeitsmesser, –s, —** speedometer

die **Geschwister** (*pl.*) brother(s) and sister(s)

das **Gesicht, –es, –er** face; **... ihr über das —** over her face

das **Gespräch, –s, –e** conversation, dialogue

gestatten to permit, allow

gestern yesterday; **— abend** last night

gesund healthy, well

gewachsen grown; **gut —** well grown; well formed

gewaltig mighty, powerful(ly), vehement(ly)

gewiß sure(ly), certain(ly)

sich **gewöhnen an** (*acc.*) to become used (accustomed) to; **ich kann mich schlecht an das Langsamfahren —** it's hard for me to get used to slow driving

die **Gewohnheit, —, –en** custom, habit

gewöhnlich usual(ly), regular(ly), ordinary, ordinarily

gießen, goß, gegossen to pour

glänzen to glitter, shine
das **Glas,** –es, ⸗er glass; **aus
— made of glass; aus dem —**
from the (drinking) glass; **ein
— Milch** a glass of milk
glatt smooth, slippery
die **Glätte,** — smoothness, slipperiness
glauben (*dat. of person*) to believe, think; **— an** (*acc.*) believe in
gleich immediately, at once, right away
gleichfalls likewise; the same to you, I wish you the same
gleichmäßig uniform(ly), symmetrical(ly)
die **Glocke,** —, –n bell, chimes
das **Glück,** –s luck, good fortune; happiness; **— haben** to be lucky; **viel — im neuen Jahr!** a very happy New Year!
glücklich happy; **eine —e Fahrt!** have a good trip! good driving!
der **Glückwunsch,** –es, ⸗e congratulation(s), good wishes; **herzlichsten —** hearty good wishes
das **Glückwunschtelegramm,** –s, –e telegram of congratulations
gnädig gracious; **Gnädige Frau! Gnädiges Fräulein!** Dear Madam (*salutation of a letter*)
Goethe, Johann Wolfgang von (1749–1832) *greatest German poet; also dramatist and miscellaneous writer*
die **Goethe-Vorlesung,** —, –en university lecture on Goethe
das **Gold,** –es gold
golden golden; **—er Löwe** *cf.* **Löwe**

der **Goldgulden,** –s, — gold gulden (*cf.* **Gulden**)
der **Gott,** –es, ⸗er god; God; **in —es Namen** in God's name, I wish you Godspeed; **— sei Dank!** thank goodness!
das **Grab,** –es, ⸗er grave
graben, grub, gegraben; er gräbt to dig, spade; **es gräbt sich schwer (leicht) mit** (*dat.*) .... it is hard (easy) to dig with ...
das **Graben,** –s digging, spading
die **Grabgabel,** —, –n spading fork
das **Gramm,** –s, –e gram(me) (*unit of weight in metric system*)
das **Gras,** –es, ⸗er grass
die **Grasfläche,** —, –n lawn, area of grass
gratulie′ren (*dat.*) to congratulate; **ich gratuliere Ihnen (dir) zum Geburtstag** best wishes for your birthday, happy birthday
grau grey
das **Graubrot,** –(e)s, –e light rye bread, loaf of light rye bread
groß (⸗) great, large; capital; **— schreiben** to capitalize (*in spelling*)
die **Größe,** —, –n size
größer larger, rather large; **die —en** the larger ones
größt- largest; **den —en** (*acc.*) the largest one
der **Großvater,** –s, ⸗ grandfather
die **Grundform,** —, –en principal part
gruppieren to group, put into groups
der **Gruß,** –es, ⸗e greeting

Grüß Gott! (*S. G.*) hello; how do you do?

grüßen to greet; give (send) regards to; (**sich**) — exchange greetings; **wie grüßt man?** how do people exchange greetings? **grüß ihn von mir** give him my regards

der **Gulden, –s,** — gulden, guilder (*obsolete coins of Germany, the Netherlands, and Austria; also present monetary unit of the Netherlands*)

der (das) **Gummi, –s, –s** rubber; gum

der **Gummiabsatz, –es,** ⁻e rubber heel

der **Gummischuh, –s, –e** rubber overshoe

gut (**besser, best–**) good, well, fine; all right

das **Gute, –n** (*adj. infl.*) that which is good; **was haben Sie Gutes? was gibt es Gutes bei Ihnen?** what do you have that's good? **alles —** all good things

die **Güte,** — goodness, kindness; quality

gutgepflegt well-cared-for

das **Guthaben, –s,** — credit

die **Gutmütigkeit, —, –en** kindness, good nature

H

das **Haar, –(e)s, –e** hair; **ich lasse mir das — schneiden** I have (am having) my hair cut

das **Haarwasser, –s,** — hair tonic

haben, hatte, gehabt; du hast, er hat to have; **hätte ... können** could have ...; **... er habe geholfen ...** he had helped

der **Hafen, –s,** ⁻ harbor, port

das **Hafenbüro, –s, –s** harbor office

halb half; **— neun** half-past eight; **— zwei** half-past one; **vor —** before half past (the hour)

der **Halbschuh, –s, –e** low shoe, oxford

hallo'! who's there? here I am, hello (*used in telephoning; not a greeting, but rather a signal call*)

der **Hals, –es,** ⁻e neck; throat

der **Halsschmerz, –es, –en** sore throat

halten, hielt, gehalten; er hält to hold, keep; last; stop; **die Sohlen — nicht lange** the soles do not wear well (*or* long)

die **Haltestelle, —, –n** stop, stopping place

(das) **Hameln, –s** Hameln (*also* Hamelin, *an ancient town on the Weser River; made famous by the legend of* "*The Pied Piper of Hameln*" [*cf.* der **Rattenfänger zu Hameln**])

die **Hand, —,** ⁻e hand; **sich die — reichen** (*dat.*) to shake hands (*with*); **zur — nehmen** pick up

der **Handball, –s,** ⁻e handball

die **Handbremse, —, –n** hand (emergency) brake

der **Handel, –s** trade, commerce; business transaction

handeln to act; deal, trade

der **Händler, –s,** — dealer, trader; shopkeeper

172

die **Handlung**, —, -en action; die — **spielt** the action takes place
der **Handschuh**, -s, -e glove
der **Handschuhkasten**, -s, (⸚) glove box (*or* case)
die **Handtasche**, —, -n handbag; lady's pocketbook *or* handbag
die **Handvoll**, — handful
hangen (*also* **hängen**), **hing, gehangen**; **er hängt** (*intr.*) to hang, be suspended, be attached to
hängen (*trans.*) to hang (up), suspend, attach to
Hansa 7263 (*exchange and telephone number; read number as follows:* **zwoundsiebzig dreiundsechzig**; *on the telephone* **zwo** *is substituted for* **zwei** *to avoid any confusion in sound with* **drei**)
hart hard; —**e Hände** callous hands
der **Hase**, -n, -n hare, rabbit
hätte (*subj.; cf.* **haben**) would have, had
hätten (*cf.* **hätte** *and* **haben**) would have, had
der **Hauptfilm**, -s, -e main feature (film *or* picture)
die **Hauptrolle**, —, -n leading part (rôle), lead (*in a moving picture, play, etc.*)
hauptsächlich main(ly)
die **Hauptspeise**, —, -n main course (*of a meal*)
der **Hauptteil**, -s, -e main part
das **Hauptwort**, -(e)s, ⸚er noun
das **Haus**, -es, ⸚er house; **nach** —**e** (**gehen**) (to go) home; **zu** —**e** (**sein**) (to be) at home

die **Hausfrau**, —, -en housewife
der **Hausgarten**, -s, ⸚ yard (*next to a house*)
häuslich domestic; home; **die** —**e Arbeit** homework
die **Haustür**, —, -en house door, front door
heben, hob, gehoben to lift
heilig holy; **am** (**zum**) **Heiligen Abend** on Christmas Eve
der **Heimatlose**, -n, -n (*adj. infl.*) homeless person
die **Heimatstadt**, —, ⸚e native city, home town
die **Heimkehr**, — return home
heiß hot, torrid
heißen, hieß, geheißen to call; be called, be named; mean; **ich heiße** my name is; **wie** — **Sie?** what is your name? **das heißt** (**d.h.**) that is (to say), i.e.
heizen to heat
die **Heizung**, —, -en heating system
helfen, half, geholfen; **er hilft** to help, assist
hell bright; light
das **Hemd**, -es, -en shirt
her to this place, hither; since, ago; — **damit!** out with it! pay up! **eine Woche** — a week ago; **lange** — long ago, long since
heraus' out; **also nur** — **mit dem Geld** all right, pay up now
heraus'-geben* to give change for
heraus'-holen to get out, fetch
heraus'-kommen* (**s.**) to come out
heraus'-nehmen* to take out

der **Herbst,** –es, –e fall, autumn
der **Herbsttag,** –s, –e fall (autumn) day
herein' in; —! enter! come in!
herein'-führen to show in
herein'-kommen* (s.) to come in; **er kommt zur Tür herein** he comes (is coming) in through the door
herein'-stürmen (s.) to rush in
herein'-treten* (s.) to step in, enter
her-gehen* (s.) to walk along; **er ging vor mir her** he preceded (walked on ahead of) me
hergestellt made, completed
her-kommen* (s.) to come here (to this place); **wo kommst du denn her?** well, where did you come from? *or* how in the world did you get here?
der **Herr,** –n, –en gentleman; Mr.; sir; (*use Sir in translating* **Herr Professor, Herr Lehrer, Herr Wirt, Herr Bürgermeister,** *etc.*); **mein Herr Eulenspiegel!** Sir!
der **Herrenschuh,** –s, –e man's shoe
die **Herrin,** —, –nen lady, mistress of the house
herrlich wonderful
die **Herrschaft,** —, –en master and mistress of the house; **meine —en!** ladies and gentlemen!
herrschen to prevail
her-stellen to produce, make
herum' about, around
herum'-gehen* (s.) to walk around; **um den Wagen —** walk (on) around the car, walk around to the other side of the car
herum'-reichen to pass (hand) around
herun'ter down, downstairs
herun'ter-kommen* (s.) to come down
herun'ter-nehmen* to take down
herun'ter-steigen* (s.) to climb down
hervor'ragend outstanding
hervor'-treten* (s.) to stand out, dominate
das **Herz,** –ens, –en heart; **von —en** heartily, sincerely, with my (our) heart(s)
herzlich hearty, cordial(ly), sincere(ly); **—sten Dank** most hearty (sincere) thanks (gratitude)
die **Hessestraße** — Hesse Street
heute today; **— früh** early this morning; **— morgen** this morning; **— nachmittag** this afternoon; **— abend** this evening, tonight; **— nacht** last night, tonight (*meaning determined by tense of verb*)
hier here; (*on telephone*) this is; **— Amt!** operator! number, please? **— Beil** this is Mr. Beil speaking
hierher hither, here
hiermit herewith
hierzulande in this country
die **Hilfe,** —, –n help, assistance, aid; relief
der **Himmel,** –s, — sky, heaven; **am —** in the sky
hin there, to (that place); away (from); **wo ist sie —?** where has she gone (to)?

174

hin und her back and forth
hinauf' up, upstairs
hinauf'-gehen* (s.) to go up (stairs)
hinaus' out; outside; —! get out!
hinaus'-blicken to look out (onto)
hinaus'-führen to show out
hinaus'-gehen* (s.) to go out
hinaus'-kommen* (s.) to come out, get out
sich **hinaus'-lehnen** to lean out, stick one's head out of
das **Hinaus'lehnen, –s** leaning out; — **aus dem Fenster ist verboten** leaning out of the window is prohibited
hinaus'-treten* (s.) to step outside
hindern to hinder, impede
hinein in, inside
hinein'-gehen* (s.) to go in
hinein'-lassen* to let in
hin-fahren* (s.) to drive (over) there
hin-gehen* (s.) to go there; **hin- und hergehen** walk back and forth; **da...** — go there (to that place)
hin-legen to put down
sich **hin-setzen** to sit down
hinten behind; **nach**— to the rear
hinter (*dat., acc.*) behind, following; **einen guten Marsch — sich haben** to have walked quite a distance
hinterm = **hinter dem**
das **Hinterrad, –(e)s,** ⸚**er** back wheel
der **Hinterreifen, –s,** — back tire
hin-werfen* to throw at (before, down)

histo'risch historical
hoch (**höher, höchst**–) high; (**hoh**–) **ein hoher Berg** a high mountain (*or* hill)
hochachtungsvoll respectful(ly)
hochgeschlagen turned up
höchst highest
höchstens at the most, at best
die **Hochzeit,** —, **–en** wedding; — **haben** to get married
das **Hochzeitstelegramm, –s, –e** wedding telegram
der **Hof, –es,** ⸚**e** court; yard
hoffentlich I hope, it is to be hoped
die **Hoffnung,** —, **–en** hope; — **haben** to hope, be hopeful
höflich polite, courteous
hoh– *cf.* **hoch**
die **Höhe,** —, **–en** height; **in die** — up, upward(s)
höher higher
holen to fetch, go (*or* come) and get, take
der **Holländer, –s,** — Hollander; a Dutch ship
hören to hear; listen (in); **jemand weinen** — hear someone weeping
der **Hörer, –s,** — listener; receiver, phone; **er nimmt den** — **ab** he picks up the receiver (phone); **er legt den** — **auf** *or* **er hängt den** — **an** he hangs up (replaces) the receiver (phone)
der **Hörsaal, –s, Hörsäle** lecture room, university classroom
das **Hörspiel, –s, –e** radio play
das **Hospital', –s, –e** *or* **Hospitä'ler** hospital
das **Hotel', –s, –s** hotel

das **Hühnerauge,** –s, –n corn (*on one's foot*)
Humboldt 2238 (*cf.* **Hansa**) *read the number as follows:* **zwoundzwanzig achtunddreißig**
der **Hund,** –es, –e dog
hundert hundred
das **Hundert,** –s, –e hundred; **in —en** by the hundred
der **Hunger,** –s hunger; (**großen**) **— haben** to be (very) hungry
husten to cough
der **Hut,** –es, ⸚e hat

I

ich I
ihm (*dat. of* **er**) to *or* for him (it), him (it)
ihn (*acc. of* **er**) him (it)
ihnen (*dat. of* **sie** they) to *or* for them
Ihnen (*acc. of* **Sie**) to *or* for you, you
ihr (*dat. of* **sie** she) to *or* for her (it), her (it)
ihr, ihre, ihr (*poss. adj.*) her
Ihr, Ihre, Ihr your
ihr, ihre, ihr their (*poss. adj.*)
ihr you
immer always; **— leiser** softer and softer; **— wieder** again and again; **— näher** nearer and nearer; **— noch** still
in (*dat.*) in, within, at, during; (*acc.*) into
der **Inhaber,** –s, — holder; owner
die **Inhaberin,** —, –nen (*fem.*) holder; owner
das **Innere,** –n the interior
der **Inspek′tor,** –s, —o′ren inspector; supervisor

das **Instrumen′tenbrett,** –es, –er dashboard
interessant′ interesting
sich **interessie′ren für** (*acc.*) to be interested in
die **Interpunktion′,** —, –en punctuation
inzwischen in the meantime, meanwhile
irgendein, irgendeine, irgendein any
irgendwie somehow, in some way
irgendwo anywhere, somewhere
irren to err; **sich —** be mistaken
ißt (*cf.* **essen**): **was — man?** what do we (people) eat?

J

ja yes; indeed, of course; (don't) you see, well; **ich bin — so glücklich** don't you see how happy I am; **da sind wir — schon** well, here we are already
das **Jackenkleid,** –s, –er lady's suit, suit dress
das **Jahr,** –(e)s, –e year; **zwei —e lang** for two years; **im letzten —** last year
jahrelang for years
der **Jahresbezugspreis,** –es, –e annual subscription rate
die **Jahreszeit,** —, –en season
das **Jahrhun′dert,** –s, –e century
der **Januar,** –s January
jawohl′ yes, sir; yes, indeed; yes, ma'am
je ever, at any time; **— ... —** the ... the
jeder, jede, jedes every, each, everyone; any
jemand someone, anyone

jener, jene, jenes that, that one; yonder
jetzt now, at present
(das) Jokoha'ma, -s Yokohama
die Jugendpost, — Young People's Post (*a periodical*)
der Juli, -s July
jung (⸚) young
der Junge, -n, -n boy, lad
jünger younger
der Jüngere, -n, -n (*adj. infl.*) the younger one
der Juni, -s June

K

der Kaffee, -s coffee, afternoon coffee
der Kaffeebesuch, -(e)s, -e visitors (callers) for afternoon coffee
die Kaffeekanne, —, -n coffee pot
das Kaffeeservice, -s, — coffee service (*or* set)
der Kaffeetisch, -es, -e coffee table
der Kaka'o, -s cocoa
das Kalb, -(e)s, ⸚er calf
der Kalen'der, -s, — calendar
kalt (⸚) cold; **mir ist gar nicht —** I'm not cold at all
die Kälte, — coldness, cold
kann (*cf.* **können**) can, am able, is able
die Kanne, —, -n pot; **eine — Kaffee** a pot of coffee
kannst (*cf.* **können**) can, are able
die Kante, —, -n edge, sharp corner
die Kapital'anlage, —, -n investment (*of capital or money*)

der Kapitalist', -en, -en capitalist
das Kärtchen, -s, — little card
die Karte, —, -n card; ticket; map
die Kartof'fel, —, -n potato
der Käse, -s, — cheese
der Kasten, -s, (⸚) chest, box; case, drawer
kaufen to buy, purchase; **sich etwas —** buy something for oneself
der Käufer, -s, — buyer
die Käuferin, —, -nen woman buyer
der Kaufmann, -s, Kaufleute merchant, shopkeeper
kaum hardly, scarcely
kein, keine, kein no, not any; (*pro.*) **keiner, keine, kein(e)s** no one, none
kennen, kannte, gekannt to know, be acquainted with
kennen-lernen to become acquainted with
die Kerze, —, -n candle
die Kette, —, -n chain
die Kettenuhr, —, -en necklace watch
das Kind, -es, -er child
der Kinderfuß, -es ⸚e child's foot
das Kinderlachen, -s laughing of children
der Kinderschuh, -s, -e child's shoe
das Kino, -s, -s movies, movie theater; **ins — gehen** to go to the movies
der Kinobesuch, -s, -e attendance at the movies; **der letzte —** the last time I (you, he, we, *etc.*) went to the movies

177

die **Kirche,** —, -n church; **zur — gehen** to go to church
der **Kirchendiener,** -s, — verger, beadle, sexton
die **Kiste,** —, -n box; **die alte —** the old crate (*automobile*)
die **Klage,** —, -n complaint, lament
klagen to complain
der **Klang,** -(e)s, ⸚e sound; ringing
klar clear, bright
die **Klasse,** —, -n class
das **Klassenzimmer,** -s, — classroom
kleben to paste
das **Kleid,** -es, -er dress; (*pl.*) clothes
kleiden to dress
das **Kleidungsstück,** -s, -e article of clothing
klein small, little
kleiner smaller, rather small; **die —en** (*pl.*) the smaller ones
die **Kleinigkeit,** —, -en trifle
kleinst- smallest; **den —en** (*acc.*) the smallest one
klingeln to ring (the bell); **es klingelt** the bell is ringing
klopfen to knock; **es klopft** there's a knock at the door
klug (⸚) clever, shrewd
(das) **Kneitlingen,** -s Kneitlingen (*Till Eulenspiegel's birthplace in the German State of Braunschweig* [Brunswick] *in North Germany* [*cf.* **Till Eulenspiegel**])
der **Knochen,** -s, — bone
der **Knopf,** -es, ⸚e button, switch button, push button
knurren to growl; rumble

der **Koch,** -s, ⸚e cook, chef
die **Kocheinrichtung,** —, -en facilities for cooking
kochen to cook
die **Kochgelegenheit,** —, -en facilities for cooking
die **Kochnische,** —, -n kitchenette
der **Kohl,** -s, -e cabbage
die **Kohle,** —, -n coal
der **Kohlenhändler,** -s, — coal dealer
das **Kohlepapier,** -s, -e carbon paper
der **Kohlra′bi,** -(s), -(s) kohlrabi
kommen, kam, ist gekommen to come, arrive; get; **— lassen** send for; **wie kommt es?** how does it happen? **vor die Tür —** appear at the door; **... wann er nach Hause kommt ...** when he'll be getting home; **spät —** be (arrive) late; **wie ist sie zu dem Gelde gekommen?** how did she get the money? **... wie es heute gekommen ist ...** as has been realized today; **kommt er da eines Tages ...** one day he entered ...
der **Komparativ,** -s, -e comparative form
das **Kompliment′,** -s, -e compliment; **ein — machen** to compliment, pay a compliment to
konfirmiert′ confirmed (*received into the church by confirmation*)
können, konnte, gekonnt *or* **können; er kann** can, to be able to (do); know; may; **das kann ich nicht** I can't do that; **er sagte, er könne** (*or* **könnte**)

178

he said he could; **das kann ich nicht sagen** I can't say, don't know; **hätte ... können** could have; **er hat nicht ... gehen —** he wasn't able to go; **mir könnte so etwas nicht passieren** such a thing couldn't happen to me

die **Konversation'**, —, -en conversation; **— führen** to carry on a conversation

das **Konzert'**, -s, -e concert

der **Konzert'saal**, -s, **Konzertsäle** concert hall

(das) **Kopenha'gen**, -s Copenhagen (*capital of Denmark*)

der **Kopf**, -es, ⸚e head; **was man nicht im —e hat, muß man in den Beinen haben** what you don't have in your head you must have in your heels (i.e. a weak memory makes work for the legs); **er meint, Till sei nicht richtig im —** he thinks Till isn't in his right mind; **ich bin (doch sonst) nicht auf den — gefallen** (certainly at other times) I'm no fool

kopfschüttelnd shaking one's head

der **Koppenberg**, -s *a hill just outside of Hameln (cf.* **Hameln**)

der **Korb**, -(e)s, ⸚e basket

das **Körbchen**, -s, — little basket

kosten to cost; **wieviel kostet der Eintritt?** what is the charge for admission? **wieviel (or was) kostet das?** how much does that cost?

der **Kraftstoff**, -s, -e motor fuel

der **Kraftstoffbehälter**, -s, — motor-fuel tank

der **Kraftwagen**, -s, — automobile, motorcar

der **Kraftwagenführer**, -s, — motor-car driver, motorist

der **Kragen**, -s, — collar

krank (⸚) sick, ill; **du wirst uns ja — von der Aufregung** we don't want you to get sick as a result of this excitement

der **Kranke**, -n, -n (*adj. infl.*) the sick person, patient; **ein Kranker** a patient (a sick man)

das **Krankenauto**, -s, -s ambulance

das **Krankenhaus**, -es, ⸚er hospital

die **Krankheit**, —, -en sickness, illness

die **Krawat'te**, —, -n necktie

der **Krieg**, -(e)s, -e war

der **Kriegsbond**, -s, -s war bond

der **Kriegskamerad**, -en, -en comrade in arms, buddy

der **Kriegssparbond**, -s, -s war-savings bond

die **Küche**, —, -n kitchen

der **Kuchen**, -s, — cake, kuchen

das **Küchenfenster**, -s, — kitchen window

die **Küchenkräuter** (*pl.*) herbs (*used in cooking*)

der **Küchentisch**, -es, -e kitchen table

die **Küchentür**, —, -en kitchen door

die **Küchenuhr**, —, -en kitchen clock

die **Kugel**, —, -n ball, sphere

die **Kuh**, —, ⸚e cow

kühl cool

kühlen to cool

der **Kühler**, -s, — radiator (*of a motor*)
die **Kühlerfigur**, —, -en ornament (*or* figure) on radiator cap
das **Kühlwasser**, -s, — radiator water
der **Kummer**, -s sorrow, grief; worry
der **Kunde**, -n, -n customer
die **Kundin**, —, -nen woman customer
die **Kunst**, —, ⸚e art; **Kunst**- art, artistic, artificial
die **Kunstseide**, —, -n rayon, artificial silk
kunstseiden rayon (*adj.*)
die **Kupplung**, —, -en clutch (*of automobile*)
das **Kupplungspedal'**, -s, -e clutch pedal
kursiv': — **gedruckt** italicized
der **Kursus**, —, **Kurse** course (*of studies*)
kurz short, briefly; — **nach** shortly after
der **Kurzwellensender**, -s, — short-wave station
der **Kurzwellenteil**, -s, -e short-wave attachment
der **Küster**, -s, — sexton, verger, beadle
das **Kuvert'**, -s, -e envelope

L

lachen (**über**, *acc.*) to laugh (about)
lachend laughing(ly)
der **Laden**, -s, (⸚) store, shop
der **Ladentisch**, -es, -e counter
die **Ladentür**, —, -en shop (store) door

die **Lage**, —, -n situation
das **Lager**, -s, — storehouse, warehouse; store, storage; **auf** — in stock, on hand
die **Lamet'ta**, — tinsel (*for Christmas-tree decoration*)
das **Land**, -es, ⸚er land, country; (*as opposed to the city*) **auf dem** —**e** in the country; **auf das** — to the country; **andere Länder, andere Sitten** other countries other customs
die **Landratte**, —, -n landlubber
lang (⸚) long; **fünfzehn Minuten** — for fifteen minutes; **eine Woche** — for a week
lange long (time), for a long time; **wie** —? (for) how long? **wie** — **noch?** how much longer?
die **Länge**, —, -n length
länger longer, rather long
der **Langfinger**, -s, — petty thief, pilferer
langsam slow(ly)
langsamer slower, more slowly; **viel** — much slower
das **Langsamfahren**, -s slow driving
längst long ago, for some time past
lassen, ließ, gelassen; er läßt to let, allow, permit; leave; (*with inf.*) cause to be, have, get (done); **er möchte die Schuhe reparieren** — he'd like to get his shoes repaired; **ich lasse mir das Haar schneiden** I have (am having) my hair cut; **damit läßt (es) sich leichter graben** it is easier to dig with that
laufen, lief, ist gelaufen; er läuft to run; (*coll.*) walk

die **Lauge**, —, -n suds; — **aus Seifenflocken** suds made from soapflakes
lauschen to listen
laut loud
lauten to sound; read; **wie lautet die Adresse?** how does the address read?
der **Lautsprecher**, -s, — loudspeaker
der **Lautstärkeregler**, -s, — volume control
lauwarm lukewarm
leben to live; — **Sie wohl!** farewell!
das **Leben**, -s, — life
das **Lebenszeichen**, -s, — sign of life; (*fig.*) letter, message
das **Leder**, -s leather
der **Lederschuh**, -s, -e leather shoe
die **Ledersohle**, —, -n leather sole
leer empty
leeren to empty
der **Leerlauf**, -s, ⸚e idling; neutral
die **Leerung**, —, -en clearance, collection (*of mail from mailbox*)
legen to lay, put, place
lehnen to lean
der **Lehnsessel**, -s, — easy chair
das **Lehrbuch**, -(e)s, ⸚er textbook
lehren to teach
der **Lehrer**, -s, — (man) teacher
die **Lehrerin**, —, -nen (woman) teacher
der **Leib**, -es, -er body
leicht light; easy, easily; slight(ly)
leichtest easiest
das **Leid**, -es, -en grief, sorrow
leid: es tut mir — I'm sorry; **Sie tun mir** — I feel sorry for you; **das tut mir** — I'm sorry about that
leider unfortunately, I'm sorry (to say); — **nicht** I'm sorry to say no, I'm sorry to say it isn't
leihen, lieh, geliehen to lend to; **sich** (*dat.*) **etwas** — **von** (*dat.*) borrow something from
die **Leine**, —, -n leash
leise low, soft(ly)
leiser softer; **immer** — **werdend** becoming softer and softer
sich **leisten** to afford; **das ist der beste, den ich mir** — **kann** that's the best that I can afford
der **Leisten**, -s, — (shoemaker's) last; **ich lasse die Schuhe über den** — **schlagen** I'll have the shoes stretched
die **Leitung**, —, -en circuit; (telephone) line; **die** — **ist besetzt** the line is busy; **die elektrische** — the electric circuit (wiring)
die **Lektü′re**, —, -n reading
lenken to steer
das **Lenkrad**, -s, ⸚er steering wheel
lernen to learn; **sprechen** — learn to speak
lesen to read
der **Lesesaal**, -s, **Lesesäle** reading room
Lessing, Gotthold Ephraim (1729–1781) *great German poet and critic*
letzt last, recent; **zum** —**enmal** the last time, last; **in** —**er Zeit** recently

leuchten to shine
die **Leute** (*pl.*) people
das **Licht,** –es, –er light, illumination
das **Lichtspielhaus,** –es, ⸗er moving-picture theater
das **Lichtspielthea′ter,** –s, — moving-picture theater
lieb dear; **mein Lieber** my dear fellow
lieben to love
lieber rather, sooner; **sitzen Sie — da, als . . .** would you rather sit there than . . .; **ich gehe — selbst** I'd rather (*or* better) go myself
der **Lieblingssender,** –s, — favorite (broadcasting) station
liebst–: am —en preferably; (*with verb*) to like best of all; **was hättest du am —en?** what would you prefer above all?
das **Lied,** –es, –er song
liegen, lag, gelegen to lie; be (situated); **es liegt am Benzin** it is the fault of the gasoline
die **Linie,** —, –n line
link– left
links to the left, on the left
die **Liste,** —, –n list
die **Literatur′,** —, –en literature
das **Loch,** –es, ⸗er hole, opening
lochen to punch a hole (into)
der **Löffel,** –s, — spoon; **ein — Schlagsahne** a spoonful of whipped cream
das **Löffelchen,** –s, — small spoon
der **Lohn,** –(e)s, ⸗e wages, pay; reward
sich **lohnen** to be worth while, pay

los loose; **was ist —?** what is the matter? **— sein** to be rid of; **— werden** get rid of
das **Löschblatt,** –es, ⸗er blotter
lösen to loosen; take off; buy (*a ticket*)
los-gehen* (**s.**) to start (out), go
los-werden* (**s.**) to get rid of
der **Löwe,** –n, –n lion; „**Goldener Löwe**" Golden Lion (*name of an inn at the sign of the golden lion*)
die **Luft,** —, ⸗e air
der **Luftdruck,** –s air pressure
lüften to raise; **den Hut —** tip one's hat
die **Luftpost,** — air mail
das **Luftpostpapier,** –s air-mail stationery
die **Luftpumpe,** —, –n pump (*for inflating tires, etc.*)
der **Lügner,** –s, — liar
lustig merry, gay

M

machen to make, do; prepare; **wieviel macht das zusammen?** how much does that (*or* the total) come to? **der schöne, kalte Winter macht's** that's what a nice cold winter does; **— lassen** have done; **es wird gemacht** it will be done; **mache dich lieber an** (*acc.*) **. . .** you'd better get at . . .; **mach's gut** (*or* **machen Sie es gut**) take good care of yourself
mächtig mighty; terrible; very
das **Mädchen,** –s, — girl
mag (*cf.* **mögen**) like(s) to, care(s) to, may

der Magen, –s, — stomach
magst (*cf.* **mögen**) like to, care to; may
mähen to mow, cut
die Mahlzeit, —, –en meal
das Mal, –es, –e time; **das erste —** the first time
mal = einmal once, just (*cf.* **einmal**)
der Mammon, –s mammon, money; **mit Ihrem verdienten —** with your acquired riches
man (*imp. pro.*) one, people, you, they, a person; (*often rendered by pass. voice*) **daß — es hört** so that it can be heard; **— hört das Radio** the radio can be heard; **wo — Briefmarken verkauft** where postage stamps are sold; **ich weiß, was — sagt** I know what to say; **— sagt** it is said, they say
mancher, manche, manches many a; **so —** a good many; **es gibt so manchen Bürger** there are a good many citizens
manchmal sometimes, now and then
der Mann, –es, ⸚er man; husband
die Mannschaft, —, –en team
der Mantel, –s, ⸚ overcoat, coat; **im —** with an overcoat on
die Mark, — mark (*German monetary unit*); **für 5 (fünf) Mark** for 5 marks
die Marke, —, –n stamp; brand
der Markt, –es, ⸚e market; market place
der Marsch, –es, ⸚e march; hike
mäßig moderate

der Matro′se, –n, –n sailor, seaman
die Maus, —, ⸚e mouse; **Mäuse- und Rattenplage** plague of mice and rats
das Meer, –es, –e sea, ocean
das Mehl, –s flour, meal
der Mehlkasten, –s, (⸚) flour (*or* meal) bin
mehr (*comp. of* **viel**) more; longer; any more; **noch viel —** much more; **noch —** still more; **nicht —** no longer (more), not . . . any more; **was will man noch —?** what more can be expected? **können wir überhaupt nicht — aus dem Hause** we won't be able to get out of the house any more at all; **es werden —** they are increasing in number; **wie lange nicht —** such as it has not done for a long time
mehrere several
die Meile, —, –n mile
mein, meine, mein my
meinen to think; say; be of the opinion; mean; **das meine ich auch** I think so, too; **das meine ich** I mean it, that's what I mean; **es gut —** mean well; **was meint er dazu?** what does he think about it?
die Meinung, —, –en opinion
meist most; **am —en** most of all
der Meister, –s, — master; champion; master tradesman; **Übung macht den —** practise makes perfect
merken to notice, perceive, mark, note; **sich etwas —** remember something

merkwürdig strange, curious; — **ist, daß...** it is strange that...
messen, maß, gemessen; er **mißt** to measure
das **Messer, –s,** — knife
der **Messer, –s,** — meter, measuring device
mich (*acc. of* **ich**) me; (*refl. pro.*) myself
die **Miete, —, –n** rent
mieten to rent (*for oneself*)
die **Milch,** — milk
die **Million', —, –en** million
der **Millionär', –s, –e** millionaire
das **Mineral'wasser, –s** mineral water
die **Minu'te, —, –n** minute
mir (*dat. of* **ich**) to *or* for me, me; (*refl. pro.*) to *or* for myself, myself
mit (*dat.*) with; along, along with; about; by; — **dem Auto** by car, in the car
mit-bringen* to bring along
mit-fahren* (s.) to ride along
mit-gehen* (s.) to go along, accompany
mit-kommen* (s.) to come along
mit-nehmen* to take along
der **Mitspieler, –s,** — partner
der **Mittag, –s, –e** noon
die **Mitte, —, –n** middle, center
mittelalterlich medieval
mitten auf (*dat., acc.*) in the middle (center) of
der **Mittwoch, –s, –e** Wednesday
mittwochs Wednesdays, on Wednesday
das **Möbel, –s,** — article of furniture; (*pl.*) furniture
das **Möbelstück, –s, –e** article of furniture

möbliert' furnished
möchte (*cf.* **mögen**) would *or* should like (to); might
möchten (*cf.* **mögen**) should *or* would like (to)
möchtest (*cf.* **mögen**) would like (to); might
modern modern, fashionable
mögen, mochte, gemocht *or* **mögen;** er **mag** may; to like (to), wish (to), care (to); **du möchtest wohl...** you would probably like to...; **was ich möchte...** what I'd like to do...; **essen mag ich es aber wohl** but I do like to eat it; **man möchte fast glauben...** one might be inclined to believe...; **wer mag das sein** who may (might) that be? **jeder möge...** may (let) everyone...
möglich possible; **nur —** at all possible; **sobald wie —** as soon as possible
der **Monat, –s, –e** month
monatlich monthly, every month
der **Mond, –es, –e** moon; **nach dem —e** wrong, inaccurately
der **Montag, –s, –e** Monday
montags Mondays, on Monday
morgen tomorrow; — **früh** tomorrow morning; **heute —** this morning
der **Morgen, –s,** — morning; **guten —!** good morning! **am —** in the morning; **jeden —** every morning
der **Morgen, –s,** — *measure of land, approximately one acre*
der **Morgenkaffee, –s** light breakfast

184

die **Morgenpost,** — Morning Post (*a newspaper*)
morgens mornings, in the morning
die **Morgenstunde,** —, –n morning hour
die **Morgensuppe,** —, –n morning broth; breakfast
die **Morgenunterhaltung,** —, –en morning conversation
der **Motor,** –s, –o′ren motor
das **Motorrad,** –s, ⸚er motorcycle
der **Motorschaden,** –s, ⸚ motor trouble, motor damage
müde tired
die **Mühe,** —, –n trouble, pains
der **Mund,** –es, ⸚e mouth; **einem etwas aus dem — e stehlen** to take (*or* steal) something right out of a person's mouth
das **Mundtuch,** –es, ⸚er napkin
die **Münze,** —, –n coin
murren to grumble
das **Muse′um,** –s, **Muse′en** museum
die **Musik′,** — music
muß (*cf.* **müssen**) must, have to, has to
müssen, mußte, gemußt *or* **müssen; er muß** must, to have to; **du mußt schnell nach Hause** you'll have to hurry home; **er müßte** he would have to; **das muß wohl so sein** that's probably the way it must be; **dann mußt du** then you'll have to
müßte (*cf.* **müssen**) would have to
das **Muster,** –s, — model
der **Musteraufsatz,** –es, ⸚e model composition

der **Mut,** –es courage
die **Mutter,** —, ⸚ mother
der **Muttertag,** –s, –e Mother's Day
die **Muttertränen** (*pl.*) mother's tears
die **Mütze,** —, –n cap

N

na well
nach (*dat.*) to, toward, in the direction of; after; according to
der **Nachbar,** –s *or* –n, –n neighbor
das **Nachbarhaus,** –es, ⸚er neighboring house
die **Nachbarin,** —, –nen (woman) neighbor
die **Nachbarschaft,** —, –en neighborhood
nach-bilden to copy, imitate
nach-blicken to follow with one's gaze, keep on looking at
nachdem′ (*conj.*) after
nach-denken* (**über,** *acc.*) to reflect (on), think about, meditate
nach-fahren* (**s.**) to go after; sail after
nach-füllen to fill (up), add, replenish
nach-gehen* (**s.**) to be slow, lose time (*e.g. a timepiece*)
nachher afterwards, after awhile
nach-lesen* to read (up), check (*by reading*)
nach-lösen to pay additional fare; purchase
der **Nachmittag,** –s, –e afternoon; **am —** in the afternoon

nachmittag(s) afternoon(s), (in the) afternoon
nach-prüfen to check, verify
nach-rechnen to check up (on)
die **Nachricht,** —, -en message, news, report
nach-sehen* to check, inspect; look, see, look up, examine; — **lassen** have checked
die **Nachspeise,** —, -n dessert
nächst- next
die **Nacht,** —, ⁻e night; **in der —** at night; **in der letzten —** last night
die **Nachzahlung,** —, -en additional payment (*to make up deficiency*)
der **Nagel, -s,** ⁻ nail, spike
nageln to nail
nagen to gnaw, nibble
der **Nager, -s,** — gnawer; rodent
nah, näher, nächst- close, nearby
die **Nähe,** — proximity, nearness; **in der —** in the neighborhood, not far from
nähen to sew
näher nearer
näher-kommen* (s.) to approach
näher-treten* (s.) to step nearer, approach
der **Nähtisch, -es, -e** sewing table
der **Name, -ns, -n** name
nämlich you know, you see; as a matter of fact; namely
die **Nase,** —, -n nose; **vor der — wegfahren** to leave right in front of
naß wet
naßkalt wet (*or* damp) and cold
natur'getreu true to nature, high-fidelity

natür'lich natural(ly), of course
neben (*dat., acc.*) beside, next to
nebeneinander side by side
nebenher-gehen* (s.) to walk along beside (*or* to one side)
nehmen, nahm, genommen; er nimmt to take; put; — **Sie noch** (**von,** *dat.*) take (help yourself to) some more (of)
nein no; **aber —** of course not
die **Nelke,** —, -n carnation
nennen, nannte, genannt to name, give; call
das **Nest, -es, -er** nest
nett pretty; nice
das **Netz, -es, -e** net
neu new, recent
das **Neue, -n** (*adj. infl.*) that which is new; **was ist das — an** (*dat.*)...? what is new about...?
neugierig curious, inquisitive; **eine —e Frage** a question asked out of curiosity
neun nine; **halb —** half-past eight
neunzehn nineteen
neunzig ninety
neust- latest
nicht not; — **mehr** no more (longer), not...any more; **ganz und gar —** by no means, absolutely not; — **wahr?** isn't it, isn't that so, doesn't he (it), wouldn't (*or* aren't) you, haven't they? *etc.*
nichts nothing, not anything; — **anderes** nothing else
nicken to nod; **mit dem Kopf —** nod one's head
nie never, at no time
die **Nische,** —, -n alcove, niche

noch still, yet, in addition to, more; — **ein** another, one more; — **einmal** once more; — **etwas** one thing more, something else, still somewhat; — **immer** still; — **nicht** not yet; — **nie** never (before); **was —?** what else? — **fünf bis sechs Tage** five or six more days; **wie lange —?** how much longer? — **keine fünf Minuten** not even five minutes; — **heute** this very day, (*emphatic*) today; — **nicht lange** not very long

nochmals again, once more

die **Not**, —, ⁼e need; emergency; distress; **Seefahrt ist —** seafaring is necessary, must be

nötig necessary; — **haben** to need

der **Notiz'block**, –s, –s memorandum tablet, (scratch) pad

das **Notrad**, –s, ⁼er emergency (spare) wheel

der **Novem'ber**, –s November

die **Nummer**, —, –n number

nun now, at present; well; then

nur only, merely, just; — **noch** just (one more thing)

die **Nuß**, —, ⁼sse nut

O

ob whether, if; **als —** as though, as if; **und — wir uns nicht freuen würden!** we most certainly would be happy!

oben above; upstairs; **da —** up there

das **Obst**, –es fruit

der **Obstgarten**, –s, ⁼ orchard

der **Obsthändler**, –s, — fruit dealer

oder or

der **Ofen**, –s, ⁼ stove

offen open

die **Offer'te**, —, –n offer

öffnen to open

oft (**öfter**, **am öftesten**) often; **öfter als** more often than

öfters frequently, often; rather frequently

oftmals often, frequently

ohne (*acc.*) without

das **Ohr**, –(e)s, –en ear

der **Ohrenschützer**, –s, — ear muff

der **Ohrenwärmer**, –s, — ear muff

das **Öl**, –s, –e oil

die **Ölfeuerung**, —, –en oil burner

der **Ölstand**, –(e)s, ⁼e oil level

der **Omnibus**, –ses, –se bus

die **Omnibusfahrt**, —, –en bus ride

die **Omnibushaltestelle**, —, –n bus stop

der **Onkel**, –s, — uncle

der **Operations'saal**, –s, **Operationssäle** operating room

operie'ren to operate

die **Ordnung**, —, –en order, arrangement; **in — bringen** to set right

orga'nisch organic

der **Ort**, –(e)s, –e place

der **Ortsname**, –ns, –n place name

der **Osten**, –s east

die **Osterfeier**, —, –n Easter celebration

die **Osterferien** (*pl.*) Easter vacation; spring vacation

das **Ostern**, die **Ostern** (*pl.*) Easter

187

P

das **Paar,** –(e)s, –e pair; couple; **ein — Schuhe (Handschuhe,** *etc.*) a pair of shoes (gloves, *etc.*)

paar: ein — a few; **vor ein — Wochen** a few weeks ago

das **Päckchen,** –s, — small package, pack

packen to pack

das **Packen** packing

das **Paket',** –s, –e package, parcel

die **Palme,** —, –n palm tree

der **Panamahut,** –s, ⸚e Panama hat

das **Papier',** –s, –e paper; (*pl.*) documents, credentials

die **Papier'handlung,** —, –en stationery store

der **Papier'korb,** –s, ⸚e wastepaper basket

das **Parfüm',** –s, –s *or* –e perfume

der **Park,** –s, –e *or* –s park; **zum — ** to the park

parken to park

das **Parken,** –s parking; **— verboten!** no parking!

das **Parkett',** –s, –e orchestra (*section in a theater*)

der **Partner,** –s, — partner

passen to fit; suit; **zu etwas** (*dat.*) **—** harmonize with, match, go with

passend suitable, fitting; **—e Schuhe** shoes that fit

passie'ren (s.) to happen (to); **mir wäre so etwas nicht passiert** such a thing would never have happened to me

der **Pastor,** –s, –o'ren pastor, clergyman

patrio'tisch patriotic

die **Pause,** —, –n pause, intermission; **kleine —** brief pause

das **Pech,** –es pitch; **— haben** to have hard luck

die **Person,** —, –en person; character, actor

der **Pfarrer,** –s, — parson, minister, priest

pfeifen, pfiff, gepfiffen to play a flute (pipe, *etc.*); whistle

der **Pfennig,** –s, –e penny, one one-hundredth of a mark (*cf.* **Mark**)

das **Pferd,** –es, –e horse

der **Pfiff,** –s, –e whistling, shrill whistle

pflanzen to plant

pflegen to care for, nurse; cultivate; be used to; **er pflegte zu sagen** he used to say

die **Pflicht,** —, –en duty, obligation

der **Pflug,** –(e)s, ⸚e plow; **unter dem —e** under cultivation

der **Pförtner,** –s, — gatekeeper, doorkeeper

das **Pfund,** –es, –e pound; **ein — frische Butter** a pound of fresh butter

die **Plage,** —, –n plague; **es ist eine — mit den Ratten** these rats are a plague

der **Plan,** –(e)s, ⸚e plan

der **Platz,** –es, ⸚e place; seat; square; **— nehmen** to sit down; **ein offener —** public square

plaudern to chat

plötzlich suddenly

der **Plural,** –s, –e plural

die **Polizei',** —, –en police (force)

der **Polizist'**, –en, –en policeman
das **Portemonnaie'**, –s, –s (*pronounce* —nä') pocketbook, purse
die **Portion'**, —, –en portion; order (*e.g. of ice cream, etc.*), helping
das **Porzellan'**, –s, –e china, porcelain; **aus** — made of china
die **Post**, — mail; post office; **mit der** — by mail; **auf die** — to the post office; **auf der** — at the post office; **zur** — to the post office
das **Postamt**, –s, ⸚er post office
der **Postbote**, –n, –n mailman
der **Posten**, –s, — post; **wieder auf dem** — **sein** to be back on the job
die **Postkarte**, —, –n postcard
prächtig splendid; nice
prahlen to boast, brag; **mit einer Sache** — brag about something
praktisch practical
die **Präposition'**, —, –en preposition
der **Präsident'**, –en, –en president
der **Preis**, –es, –e price; prize; **um jeden** — at all costs, at any sacrifice
preiswert reasonable, worth the money
probie'ren to try
der **Profes'sor**, –s, –o'ren professor
das **Programm'**, –s, –e program
das **Prono'men**, –s, **Pronomina** pronoun
prüfen to test, examine, check
die **Prüfung**, —, –en test, examination; check-up

pst! sh!
der **Pudding**, –s, –e pudding
das **Pult**, –(e)s, –e desk
die **Pumpe**, —, –n pump
pumpen to pump
die **Pumps** (*pl.*) pumps (*slipperlike shoes*)
der **Punkt**, –es, –e point; period; — **acht Uhr dreißig** eight-thirty sharp
pünktlich punctual(ly), on time

Q

die **Qualität'**, —, –en quality; **erster** — (of) the best quality, first-rate
quer across; — **über** right across

R

sich **rächen** to take revenge *or* vengeance
das **Rad**, –(e)s, ⸚er wheel; bicycle
der **Radier'gummi**, –s, –s eraser (*rubber*)
das **Radies'chen**, –s, — radish
das **Radio**, –s, –s radio; **im** — on the radio; — **hören** to listen in on the radio
der **Radioapparat**, –s, –e radio set
der **Radioempfänger**, –s, — radio receiving set
der **Rahmen**, –s, — frame
rasch quick(ly)
der **Rasen**, –s, — lawn, grass; **der** — **muß gemäht werden** the lawn has to be mowed
rasend raging, in a rage; — **werden** to go mad
die **Rasenfläche**, —, –n (*area or section of*) lawn

die **Rasenmähmaschine,** —, -n lawn mower

der **Rat, -es, Ratschläge** advice

der **Rat, -es, ⸚e** councilman

der **Rat, -es, Ratsversammlungen** council; council meeting

raten, riet, geraten; er rät to advise; **wozu rät ihr Frau Holz?** what does Mrs. Holz advise her to do?

das **Rathaus, -es, ⸚er** city (town) hall

der **Ratsherr, -n, -en** councilman, alderman

die **Ratssitzung,** —, -en council session

die **Ratsstube,** —, -n council chamber

die **Ratte,** —, -n rat

der **Rattenfänger, -s,** — rat catcher; **der** — **zu Hameln** the Pied Piper of Hameln (*a magician who, according to medieval legend, freed the town of Hameln [cf. Hameln] from a plague of rats by playing his pipe; when refused his reward he is said to have led the children of the town away*)

die **Rattenplage,** —, -n plague of rats

rauchen to smoke

rauschen to rustle; roar

rechnen to reckon, figure

die **Rechnung,** —, -en account, bill

recht right; very; real; —**haben** to be right; **so** — just right; **ganz** —! that's right! **es ist mir** — it is agreeable to me, it's all right with me

rechts on *or* to the right; — **oben** on the upper right(-hand) side

reden to talk

die **Redewendung,** —, -en expression, idiom

regelmäßig regular(ly)

der **Regen, -s** rain

regenreich rainy, abounding in rain

regnen to rain

regnerisch rainy

reich rich; abundant; — **an** (*dat.*) abounding in

reichen to reach; hand to; **sich die Hand** — shake hands with each other; **einem die Hand** — shake hands with someone

der **Reifen, -s,** — tire

die **Reifenluft,** — air for tires

die **Reifenpanne,** —, -n tire trouble, puncture, flat tire

rein clean; pure

reinigen to clean; — **lassen** have cleaned

die **Reinigung,** —, -en cleaning; **chemische** — dry cleaning

die **Reinigungsanstalt,** —, -en cleaning establishment, cleaners; **die chemische** — dry cleaners

die **Reise,** —, -n trip, journey; voyage; **eine** — **machen** to take a trip (voyage, *etc.*)

das **Reiseerlebnis, -ses, -se** experience while traveling

die **Reiselektüre,** —, -n reading matter for travelers

reisen (s.) to travel

der **Reisende, -n, -n** (*adj. infl.*) traveler; **ein Reisender** a traveler

das **Reißen, -s** rheumatic pains

190

die **Reparatur'**, —, –en repair; eine — am **Auto machen** to repair something on the car
die **Reparatur'werkstatt**, —, ⸚en repair shop
reparie'ren to repair; — **lassen** have repaired
repräsentativ' representative, appropriate; respectable
die **Reser've**, —, –n reserve
der **Reser'vereifen**, –s, — spare tire
retten to save, rescue
die **Revolution'**, —, –en revolution; eine — **bekommen** to have a revolution
das **Rezept'**, –(e)s, –e prescription
sich **richten** (**nach**, *dat.*) to go by, adjust oneself to
richtig correct(ly), accurate(ly); right; real
die **Richtung**, —, –en direction
riechen, **roch**, **gerochen** to smell
der **Rock**, –(e)s, ⸚e coat; skirt
die **Röhre**, —, –n tube
rot red
der **Rotstift**, –s, –e red (lead) pencil
die **Rückkopplung**, —, –en tone control
die **Rückseite**, —, –n back, reverse side
rückwärts backwards
die **Rückwärtsbewegung**, —, –en backward motion, moving backward
der **Rückwärtsgang**, –s, ⸚e reverse (gear)
der **Ruf**, –es, –e call; radio call letters (*or* numbers)
rufen, **rief**, **gerufen** to call, shout; **wie gerufen kommen** come at just the right moment
die **Ruhe**, — rest, quiet, calm; **in — lassen** to leave alone
ruhig quiet, calm
ruhiger quieter, calmer; — **werden** to calm down
der **Rundfunk**, –s radio, broadcasting
der **Rundfunkapparat**, –s, –e radio set
das **Rundfunkgerät**, –s, –e radio set
die **Rüstung**, —, –en armaments
die **Rüstungsfabrik**, —, –en defense factory

S

der **Saal**, –s, **Säle** hall, large room
die **Sache**, —, –n thing; affair; **feine —!** great!
der **Sack**, –s, ⸚e sack, bag
säen to sow
sagen to say, tell
die **Sahne**, — cream
das **Sahnekännchen**, –s, — cream pitcher
der **Salat'**, –s, –e lettuce; salad
die **Salzluft**, — salt air
sammeln to collect
die **Sammlung**, —, –en collection
satt satisfied; — **werden** to get one's fill, get enough
der **Satz**, –es, ⸚e sentence
das **Satzzeichen**, –s, — punctuation mark
sauber neat, clean
die **Sauce**, —, –n (*pronounce* **so-ße**) sauce, gravy
sauer sour; (*fig.*) hard

191

das **Sauerkraut,** –(e)s sauerkraut; — **mit Schweinefüßen** sauerkraut with pig's feet

die **Schachtel,** —, –n (*paper*) box, pack, carton

schade too bad; **es ist —** (*um, acc.*) it's too bad (about)

der **Schaden,** –s, ⸚ harm, damage

schaden to harm, damage; **das schadet doch nichts** that really doesn't make any difference

der **Schäfer,** –s, — shepherd

schaffen to work; give; bring, supply, get

der **Schaffner,** –s, — conductor

der **Schalksnarr,** –en, –en rogue, buffoon

schalten to switch

der **Schalter,** –s, — switch; (*counter*) window (*through which tickets, stamps, etc., are sold*)

der **Schalterbeamte,** –n, –n (*adj. infl.*) window clerk

der **Schalthebel,** –s, — gear shift (lever)

die **Schatzkammer,** —, –n treasure room; treasury

schauen to look; — **auf** (*acc.*) look at

das **Schaufenster,** –s, — show window

der **Schaukasten,** –s, (⸚) showcase

der **Schauplatz,** –es, ⸚e scene, place of action

das **Schauspiel,** –s, –e play, performance

der **Schauspieler,** –s, — actor

die **Schauspielerin,** —, –nen actress

der **Scheck,** –s, –s *or* –e check

das **Scheckbuch,** –s, ⸚er checkbook

das **Scheckkonto,** –s **Scheckkonten** checking account

die **Scheibe,** —, –n disk; pane (*of glass*)

der **Schein,** –s, –e certificate; bill (*paper money*)

scheinen, schien, geschienen to shine; appear, seem

der **Schelm,** –s, –e rogue, rascal

schelten, schalt, gescholten; er schilt to scold

das **Schelten,** –s scolding; **es hat ein gewaltiges — gegeben** there was plenty of scolding done

schenken to make a present of, give (*as a present*); **sich etwas — lassen** accept (get) as a gift

der **Schi,** –s, –er ski; **— laufen** to ski

der **Schianzug,** –s, ⸚e skiing suit

die **Schicht,** —, –en shift (*of workmen or time of work*)

schicken to send, dispatch; deliver; **Herrn Braun ins Haus —** deliver to Mr. Braun's residence

das **Schicksal,** –s, –e fate

schief crooked; one-sided

das **Schiff,** –es, –e ship, vessel

der **Schiffsjunge,** –n, –n cabin boy

das **Schiffsmodell,** –s, –e ship model

das **Schild,** –(e)s, –er sign

Schiller, Johann Christoph Friedrich von (1759–1805) *great German poet, dramatist, and miscellaneous author of the classical period of German literature*

schimmern to glitter; appear
die **Schimütze**, —, -n skiing cap
der **Schinken**, -s, — ham
schlafen, schlief, geschlafen; er schläft to sleep
schlagen, schlug, geschlagen; er schlägt to strike, beat; **er schlägt sich mit der Hand auf den Mund** he quickly puts his hand over his mouth
die **Schlagsahne**, — whipped cream
schlau cunning, sly
der **Schlauch**, -(e)s, ⸚e tube; hose
schlecht bad; poor(ly)
schließen, schloß, geschlossen to close, shut; conclude
schlimm bad; very; **so — ist's doch noch nicht!** it certainly isn't so bad as that yet!
schlimmer worse
der **Schlitten**, -s, — sleigh, sled
das **Schlittenfahren**, -s sledding, tobogganing
der **Schlittschuh**, -s, -e skate; **— laufen** to skate
der **Schluß**, -sses, ⸚sse close; conclusion; **nur keine voreiligen Schlüsse!** just don't start jumping at conclusions
der **Schlüssel**, -s, — key
das **Schlüsselloch**, -s, ⸚er keyhole
das **Schlußexamen**, -s, -examina final examination; **die — machen** to take the finals
die **Schlußformel**, —, -n conclusion (*of a letter*)
schmal narrow; slender
schmecken to taste; have taste; **er läßt sich das Essen —** he does justice to the meal, eats the meal with relish
der **Schmerz**, -es, -en pain, grief, heartache
der **Schmied**, -(e)s, -e blacksmith; **an den richtigen — kommen** to meet one's equal
schmieren to grease, lubricate; **— lassen** have greased
der **Schmuck**, -(e)s, Schmucksachen ornaments, jewelry
schmücken to decorate
das **Schmuckstück**, -s, -e ornament, article of jewelry
der **Schnee**, -s snow
der **Schneeball**, -s, ⸚e snowball
die **Schneeflocke**, —, -n snowflake
das **Schneegestöber**, -s, — snowstorm, blizzard
schneereich snowy, abounding in snow
schneiden, schnitt, geschnitten to cut; **— lassen** have cut
schneien to snow
schnell quick, fast; soon; **—!** hurry! **eilen wir, so — wir können** let's hurry as fast as we can
der **Schnitt**, -es, -e cut
die **Schnittblume**, —, -n cut flower
der **Schnupfen**, -s, — cold
der **Schnürschuh**, -s, -e lace shoe
der **Schnürstiefel**, -s, — high lace shoe (*or* boot)
schon already; all right; **es friert — wochenlang** it has been freezing for weeks; **Louise heiße ich —** Louise is my name all right; **das verstehe ich —** I understand that all right

193

schön beautiful, handsome; nice, fine; — **warm** nice and warm; **—es Geld** a considerable amount of money

das **Schöne**, –n that which is beautiful *or* nice; **etwas —s** something nice

schonen to take good care of; be kind to

schönst– most beautiful; **den —en** (*acc.*) the nicest one

das **Schönste**, –n (*adj. infl.*) that which is most beautiful *or* best; **und das —!** and to top it all!

schräg diagonal(ly), oblique(ly)

der **Schrank**, –(e)s, ⸚e closet, wardrobe

schrecklich terrible, terribly, frightful(ly)

schreiben, schrieb, geschrieben to write; **schriebe er doch nur einmal!** if he'd only write sometime (*or* once)!

die **Schreibmaschine**, —, –n typewriter

das **Schreibmaschinenpapier**, –s typewriting paper

das **Schreibpapier**, –s writing paper, stationery

das **Schreibpult**, –s, –e desk

der **Schreibtisch**, –es, –e writing desk

der **Schreibtischkalender**, –s, — desk calendar

die **Schreibwaren** (*pl.*) writing materials, stationery

das **Schreibwarengeschäft**, –s, –e stationery store

die **Schreibwarenhandlung**, —, –en stationery store

schreien, schrie, geschrieen to shout, yell

schriftlich written, in writing

der **Schritt**, –es, –e step, pace

der **Schuh**, –s, –e shoe

der **Schuhanzieher**, –s, — shoehorn

das **Schuhgeschäft**, –s, –e shoe store, shoe business

der **Schuhladen**, –s, (⸚) shoe store

der **Schuhmacher**, –s, — shoemaker, cobbler

der **Schuhmachermeister**, –s, — master shoemaker

die **Schuhmacherwerkstatt**, —, ⸚en shoemaker's shop

das **Schuhwarenhaus**, –es, ⸚er shoe store

die **Schularbeit**, —, –en schoolwork, school assignments, studies

das **Schulbuch**, –es, ⸚er schoolbook, textbook

die **Schuld**, —, –en blame, fault; **die — haben** to be to blame

die **Schule**, —, –n school; **zur —** *or* **in die — gehen** to go to school; **nach der —** after school

der **Schüler**, –s, — (boy) pupil

die **Schülerin**, —, –nen (girl) pupil

das **Schulgebäude**, –s, — school building

das **Schuljahr**, –es, –e school year

der **Schulkamerad**, –en, –en schoolmate

die **Schulter**, —, –n shoulder

die **Schüssel**, —, –n dish, bowl

der **Schuster**, –s, — shoemaker

die **Schusterwerkstatt**, —, ⸚en shoemaker's shop

schütteln to shake

194

schütten to pour; (*of grain harvest*) yield well
der **Schutz**, –es protection
die **Schutzbrille**, —, –n goggles
schützen to protect; **sich — gegen** (*acc.*) protect oneself from
die **Schutzscheibe**, —, –n windshield
schwarz (⸚) black
der **Schwarze**, –n, –n (*adj. infl.*) Negro
schwedisch Swedish
schweigen, schwieg, geschwiegen to be silent, keep still
das **Schwein**, –(e)s, –e pig, hog
das **Schweinebein**, –s, –e pig's foot
die **Schweiz**, — Switzerland
Schweizer Swiss
schwer heavy; difficult, hard; seriously; **wie —...** how hard... *or* what a hard time...; **es — haben** to have a hard time of it; **— krank** seriously ill
schwerst–: **am —en** most difficult
die **Schwester**, —, –n sister (*cf.* Geschwister)
die **Schwierigkeit**, —, –en difficulty
schwingen, schwang, geschwungen to swing
sechs six
sechzig sixty
der **See**, –s, –n lake
die **See**, —, –n sea, ocean; **an die — gehen** to go to the seacoast (*or* seashore); **zur — gehen** go to sea; **auf der — bleiben** perish at sea

das **Seebild**, –(e)s, –er picture of the sea, seascape
die **Seefahrt**, —, –en seafaring, navigation; voyage to sea
der **Seemann**, –s, **Seeleute** seaman, sailor
das **Seemannshaus**, –es, ⸚er house (home) of a seaman
der **Seemannssack**, –s, ⸚e seaman's bag, duffle bag
das **Segel**, –s, — sail
segeln (s.) to sail
das **Segelschiff**, –s, –e sailboat
der **Segler**, –s, — sailing vessel
sehen, sah, gesehen; er sieht to see, look; **sieh mal!** just look! **warum — die Eltern es gern?** why do his parents like to see him do it? **zu —** open for inspection
die **Sehenswürdigkeit**, —, –en object (*or* place) of interest
sehr very, much, greatly, very much; **so —** so much (*or* very)
sei, seien (*cf.* sein) be
die **Seife**, —, –n soap
die **Seifenflocke**, —, –n soap flake
sein, seine, sein his; its
sein, war, ist gewesen; er ist to be; **wenn ich... wäre** if I were...; **seien Sie nur recht vorsichtig!** be very cautious! **seien Sie froh!** be happy! **es ist mir** *or* **mir ist** it seems to me; (**sein** *with inf. preceded by* **zu** *with pass. meaning is often used in directions and commands*) **Fehlendes ist zu ergänzen** blank spaces are to be filled in; **Hunde sind an der Leine zu führen!** keep dogs on leash!

seit (*dat.*) for, since; (*conj.*) since
seitdem' (*conj.*) since
die **Seite**, —, –n side; page; **zur —** to one side
der **Seitenblick**, –s, –e sidelong glance
selb– same
selber -self (myself, yourself, *etc.*)
selbst -self (myself, yourself, *etc.*); (*before a word*) even
selbstverdient self-earned
selbstverständlich self-evident; natural(ly), of course
selig blessed
das **Semes'ter**, –s, — semester
senden, sandte, gesandt (*also regular verb*) to send
der **Sender**, –s, — broadcasting station
der **Septem'ber**, –s September
servie'ren to serve (*at table*)
das **Servie'ren**, –s serving (*at table*); **durch —** by waiting on tables
die **Serviet'te**, —, –n napkin
setzen to set, place, put; **sich — an** (*acc.*) sit down at (*or* by)
die **Setzpflanze**, —, –n seedling, set, young plant
sich oneself, himself, herself, itself, themselves; **für —** alone, to *or* for himself, on his own
sicher safe; certain(ly); **— vor** (*dat.*) safe from
sie (*per. pro.*) she, her; they, them
Sie (*per. pro.*) you
sieben seven
siebzehn seventeen
siebzig seventy
das **Signal'**, –s, –e signal

das **Silber**, –s silver; **aus —** made of silver
silbern (of) silver
der **Singular**, –s, –e singular
sinnend thoughtfully, thinking
die **Sitte**, —, –n custom; **es ist —** it is the custom
sitzen, saß, gesessen to sit
der **Sitzplatz**, –es, ⸚e seat
die **Sitzung**, —, –en session, meeting
der **Ski**, –s, –er *cf.* **Schi**
der **Skianzug**, –s, ⸚e *cf.* **Schianzug**
so so; such; thus, in this (*or* that) manner, like this (*or* that); this is (*or* that's) the way; then; **— etwas** such a thing, something (*or* anything) like that; **— etwas!** how terrible! **— ... wie** as ... as, in the manner that, like; **—, daß ...** in such a way that ...; **— frei wie möglich** as freely (independently) as possible
sobald' as soon as; **— wie möglich** as soon as possible
das **Sofa**, –s, –s sofa
der **Sofatisch**, –es, –e small living-room table
sofort' at once, immediately
sogar' even
sogenannt so-called
sogleich' at once
die **Sohle**, —, –n sole
der **Sohn**, –(e)s, ⸚e son
solan'ge as long as
solch– such; **—e da** like those (over there)
der **Soldat'**, –en, –en soldier

soll (*cf.* **sollen**) shall, should, is supposed to, ought to
sollen, sollte, gesollt *or* **sollen; er soll** shall, should, ought to, to be supposed to; **was soll er mit den Schuhen?** what is he supposed to do with the shoes? **was soll er dort?** what should he do there? **du hättest sehen —...** you should have seen ...; **du solltest keinen bringen** you weren't supposed to bring any
der **Sommer, –s, —** summer
der **Sommeranzug, –s,** ⸚**e** summer (light) suit
die **Sommerferien** (*pl.*) summer vacation
das **Sommerkleid, –s, –er** summer dress
der **Sommermantel, –s,** ⸚ summer coat
der **Sommertag, –s, –e** summer day
sonderbar strange, queer
sondern but (on the contrary)
der **Sonnabend, –s, –e** Saturday
die **Sonne, —, –n** sun
sonnig sunny
der **Sonntag, –s, –e** Sunday
sonst otherwise, (or) else, moreover; at another time, at other times; **— noch etwas** anything else
die **Sorge, —, –n** care; worry
sorgen (**für,** *acc.*) to care (for); provide (for); **sich — um** (*acc.*) worry about
sorgfältig careful(ly)
die **Sorte, —, –n** sort, kind; **was für —n?** what different kinds?

die **Soße, —, –n** (*cf.* **Sauce**) sauce, gravy
soviel′ so much, to the same extent, in the same manner; **— wie** as much as
sowieso′ anyhow
der **Spangenschuh, –s, –e** lady's shoe (*with strap*)
sparen to save (money), economize
die **Sparkasse, —, –n** savings bank
das **Sparkonto, –s, Sparkonten** savings account
spät late, tardy; **— kommen** to be late; **wie — ist es?** what time is it?
der **Spaten, –s, —** spade
spätestens at the (very) latest
spätnachmittags late afternoons, late in the afternoon
spazie′**ren-gehen*** (**s.**) to take a walk
der **Speck, –(e)s** bacon
die **Speise, —, –n** food
speisen to dine, eat and drink
der **Speisesaal, –s, Speisesäle** dining hall
das **Speisezimmer, –s, —** dining room
der **Spiegel, –s, —** mirror
spiegelglatt (as) smooth as a mirror, perfectly smooth
das **Spiel, –(e)s, –e** play; game; playing *or* music (*of an instrument*); **dramatisches —** play, let, dramatic sketch
spielen to play
spielend playing
spitz pointed; sharp
die **Spitze, —, –n** top; crown (*of a tree*)

197

der **Sport, -s** sport(s)
der **Sportanzug, -s,** ⁻e sport(ing) suit
der **Sportfreund, -(e)s, -e** sport enthusiast
der **Sportmantel, -s,** ⁻ sport(ing) coat
sportmäßig suitable for sports, sport(ing)
der **Sportplatz, -es,** ⁻e athletic field
der **Sportschuh, -s, -e** sport(ing) shoe
der **Sportstrumpf, -s,** ⁻e sport(ing) stocking, sock
der **Sprachbrockhaus** *well-known German illustrated dictionary*
sprechen, sprach, gesprochen; er spricht to speak, talk; — **über** (*acc.*) *or* **von** (*dat.*) talk about; **ich möchte ihn —** I should like to see (speak to) him
das **Sprechen, -s** speaking; **beim —** while speaking
das **Sprichwort, -s,** ⁻er proverb
springen, sprang, ist gesprungen to spring, jump
der **Spruch, -(e)s,** ⁻e saying
die **Stadt, —,** ⁻e city, town
städtisch municipal
die **Stadtleute** (*pl.*) city people
der **Stadtrat, -s** city (town) council
der **Stadtteil, -s, -e** section of town; postal zone
der **Stand, -es** ⁻e position; condition; **in gutem** (*or* **gut im**) **—e (er)halten** to keep in good condition
der **Ständer, -s, —** stand; rack
der **Star, -s, -s** star; **ein — beim Film** a movie star

stark (⁻) strong; severe, violent, hard; heavy (*traffic, etc.*)
starten to start
der **Starter, -s, —** starter
die **Station', —, -en** station
der **Stations'vorsteher, -s, —** stationmaster
der **Stations'wähler, -s, —** dial (*on a radio*), dial button
statt (*gen.*) instead of, in place of
statt-finden* to take place; be held
stecken to stick, put; plant (*e.g. beans, peas, etc.*); be
stehen, stand, gestanden to stand; be
stehen-bleiben* (s.) to stop; remain standing
stehlen, stahl, gestohlen; er stiehlt to steal
der **Stehplatz, -es,** ⁻e place to stand, standing room
steigen, stieg, ist gestiegen to climb; get; **ins Auto —** get in(to) the car; **aus dem Zug —** get off the train
die **Stelle, —, -n** place, position; job
stellen to put, place, set; **sich — an** (*acc.*) step up to
stempeln to stamp
die **Stenotypis'tin, —, -nen** stenographer and typist
der **Stern, -s, -e** star
die **Steuer, —, -n** tax
der **Steuermann, -s, Steuerleute** helmsman, steersman
die **Steuermannsschule, —, -n** merchant-marine school
steuern to steer
das **Steuerrad, -s,** ⁻er steering wheel

die **Steuerzahlung**, —, -en tax payment
der **Steuerzettel**, -s, — statement of taxes
der **Stiefel**, -s, — boot; shoe; **in die — fahren** to slip on one's shoes (boots)
der **Stiegenaufgang**, -s, ⸚e stairway
der **Stiel**, -(e)s, -e handle
der **Stil**, -(e)s, -e style
still still, silent, quiet
die **Stille**, — silence
stillschweigend silently; without saying a word
der **Stillstand**, -s standstill; **zum — bringen** to stop (*e.g. a car*)
die **Stimme**, —, -n voice
stimmen to be correct; **stimmt's?** (is that) correct?
der **Stock**, -(e)s, **Stockwerke** floor, story; **im zweiten —** on the third floor (*according to general European usage the first or ground floor has a special designation:* **das Erdgeschoß**, -sses, -sse; **das Parterre**, -s, -s, *and is not included in counting the floors of a building*)
der **Stoff**, -(e)s, -e material; goods
stolz proud; **auf etwas** (*acc.*) **— sein** to be proud of something
stören to disturb
strafbar punishable
die **Strafe**, —, -n penalty, fine
strafen to punish, fine
der **Strand**, -es, -e beach, seashore
die **Straße**, —, -n street, road
die **Straßenbahn**, —, -en streetcar, streetcar line

die **Straßenecke**, —, -n street corner
der **Strauß**, -es, ⸚e bouquet
das **Sträußchen**, -s, — small bouquet
die **Strecke**, —, -n stretch; distance
der **Streich**, -es, -e trick; **einem einen — spielen** to play a trick on a person
stricken to knit; **an einem Strumpf —** be knitting a stocking
das **Strickzeug**, -s, -e knitting, knitting work
der **Strumpf**, -es, ⸚e stocking, hose
die **Stube**, —, -n (small) room
das **Stück**, -(e)s, -e piece; **ein — Apfelkuchen** a piece of apple cake
der **Student'**, -en, -en (man) student
die **Studen'tin**, —, -nen (woman) student
studie'ren to study
das **Studium**, -s, **Studien** study
der **Stuhl**, -(e)s, ⸚e chair, seat
das **Stündchen**, -s, — a short hour, a while
die **Stunde**, —, -n hour; lesson; period; **vor Anfang der —** before class begins; **die —** per hour; **eine halbe —** half an hour
stundenlang for hours
der **Stundenplan**, -s, ⸚e schedule (*of classes*)
stürmen to storm; (s.) rush; **er ist ins Zimmer gestürmt** he rushed into the room
stürmisch stormy

stützen to support, prop; **den Kopf in die Hand —** rest one's head on one's hand
suchen to seek, hunt, look for
(das) **Südamerika, –s** South America
der **Südbahnhof, –s,** ⸚e south station
der **Süden, –s** south
die **Suppe, —, –n** soup
der **Suppenlöffel, –s, —** soup-spoon
der **Suppenteller, –s, —** soup plate
süß sweet
die **Süßigkeit, —, –en** candy
das **Synonym', –s, –e** synonym
die **Szene, —, –n** scene

T

tadellos faultless(ly), perfect(ly)
tadeln to find fault with
der **Tag, –(e)s, –e** day; **am —** on (during) the day; **guten —** good day, hello, how do you do
das **Tageblatt, –(e)s,** ⸚er daily newspaper, journal
tagelang for days
die **Tagesarbeit, —, –en** day's work
die **Tageszeit, —, –en** time of day
täglich daily, every day
das **Talent', –(e)s, –e** talent
der **Tank, –s, –s** or **–e** tank
tanken to tank (up), fuel, get gasoline; **Benzin —** get some gasoline
die **Tankpumpe, —, –n** (filling-station) pump
die **Tankstelle, —, –n** filling station

der **Tankwart, –s, –e** filling-station attendant
die **Tanne, —, –n** fir tree
der **Tannenbaum, –s,** ⸚e fir tree, Christmas tree
die **Tante, —, –n** aunt
der **Tanz, –es,** ⸚e dance; **zum — gehen** to go to the dance
der **Tanzabend, –s, –e** evening of dancing, dance
tanzen to dance
der **Tanzsaal, –s, Tanzsäle** dance hall, ballroom
der **Tanzschuh, –s, –e** dancing slipper (or shoe)
die **Tasche, —, –n** pocket; bag
die **Taschenuhr, —, –en** pocket watch
das **Täßchen, –s, —** little cup
die **Tasse, —, –n** cup; **eine — Kaffee** a cup of coffee
die **Taste, —, –n** key; button
tatsächlich actual(ly), real(ly)
tausend thousand
tausendmal thousand times
der **Tee, –s** tea
der **Teelöffel, –s, —** teaspoon
die **Teerose, —, –n** tea rose
die **Teetasse, —, –n** teacup
der **Teig, –s, –e** dough
der **Teil, –(e)s, –e** part, portion, share; **zum —** in part, partly
teil-nehmen* (**an,** dat.) to take part (in), participate (in)
das **Telegramm', –s, –e** telegram
das **Telegramm'formular', –s, –e** telegram blank
der **Telegramm'stil, –s, –e** telegram style
das **Telegra'phenamt, –s,** ⸚er telegraph office

der **Telegra′phenbeamte,** –n, –n telegraph clerk
der **Telegra′phenbote,** –n, –n (telegraph) messenger boy
die **Telegraphie′,** — telegraphy
telegraphie′ren to wire, send a telegram
telegra′phisch by wire, by telegram
der **Telegraphist′,** –en, –en telegraph operator
die **Telegraphi′stin,** —, –nen (woman) telegraph operator
das **Telephon′,** –s, –e telephone; **im —** on the telephone
der **Telephon′anruf,** –s, –e telephone call
das **Telephon′buch,** –s, ⸚er telephone book (*or* directory)
das **Telephon′fräulein,** –s, — telephone operator
das **Telephon′gespräch,** –s, –e telephone conversation
telephonie′ren to telephone, call up
telepho′nisch by telephone
die **Telephon′nummer,** —, –n telephone number
der **Teller,** –s, — plate; **ein — Suppe** a plate of soup
das **Tennis,** — tennis
der **Tennisplatz,** –es, ⸚e tennis court
der **Tennisschläger,** –s, — tennis racket
der **Tennisschuh,** –s, –e tennis shoe
das **Tennisspiel,** –s, –e tennis game, tennis match
teuer dear, expensive; **wie — sind sie?** how much are they?

teuerst– most expensive; **den —en** the most expensive one
der **Teufel,** –s, — devil
teuflisch devilish, diabolical
der **Text,** –es, –e text; **den — schreiben** to set up, put in writing
das **Thea′ter,** –s, — theater
das **Thema,** –s, **Themen** theme, subject
tief deep
Till Eulenspiegel (*popular hero of German folklore, noted for his whimsical pranks; born in Kneitlingen* [*cf.* **Kneitlingen**]*, died at Mölln in Schleswig 1350; collections of his adventures and pranks began to appear in print around 1500*)
die **Tinte,** —, –n ink
der **Tisch,** –es, –e table
das **Tischbein,** –s, –e leg of the table
das **Tischchen,** –s, — small table
die **Tischdecke,** —, –n tablecloth
der **Tischfernsprecher,** –s, — table-model telephone
die **Tischkante,** —, –n corner of the table
der **Tischkasten,** –s, (⸚) table drawer
die **Tochter,** —, ⸚ daughter
die **Toma′te,** —, –n tomato
die **Toma′tenpflanze,** —, –n tomato plant
der **Toma′tensetzling,** –s, –e young tomato plant, seedling tomato set
der **Ton,** –s, ⸚e tone; **der gute —** good form, social etiquette
die **Tonne,** —, –n ton

die **Topfblume,** —, –n potted flower

die **Torte,** —, –n cake (*with icings, fillings, etc.*), fancy cake; tart

sich **tot-arbeiten** to work oneself to death

tragen, trug, getragen; er trägt to carry, take; wear

der **Träger,** –s, — carrier

der **Traum,** –(e)s, ⸚e dream

träumen to dream

traurig sad

treffen, traf, getroffen; er trifft to meet; **sich** — meet one another

treiben, trieb, getrieben to carry on, participate in

das **Treibhaus,** –es, ⸚er greenhouse

trennen to separate; **sich** — part

treten, trat, ist getreten; er tritt to step, walk; **er tritt ihm in den Weg** he blocks his way

treu faithful, true

trinken, trank, getrunken to drink

das **Trinkgeld,** –s, –er tip

das **Trittbrett,** –s, –er running board

trocken dry

trotzdem nevertheless, in spite of

das **Tuch,** –es, ⸚er cloth

tüchtig, able, capable; excellent

die **Tulpe,** —, –n tulip

tun, tat, getan to do, make; put; — **lassen** have done; **tue nicht so, als ob du nichts bekämst** don't act as if you didn't (don't) get anything

die **Tür,** —, –en door

der **Turm,** –(e)s, ⸚e tower; prison

die **Turmuhr,** —, –en tower clock

U

üben to practise, drill; **sich im Sprechen** — practise speaking

über (*dat., acc.*) over, above; across; about, on; more than

überall' everywhere; **wo du** — **gewesen bist** where (all the places) you have been

überhaupt' at all; — **nicht** not at all, absolutely not

überle'gen to consider; **sich** — consider, think over; **anders** — change one's mind

übermorgen day after tomorrow; — **abend** evening of the day after tomorrow

überra'schen to surprise

die **Überra'schung,** —, –en surprise

überrei'chen to hand over

die **Überschrift,** —, –en title

der **Überschuh,** –s, –e overshoe

überset'zen to translate

die **Übertra'gung,** —, –en transmission (*of a radio broadcast*)

überzie'hen* to overdraw (*one's bank account*)

der **Überzieher,** –s, — overcoat

üblich customary

übrig remaining

übrig-bleiben* (s.) to be left, remain

die **Übung,** —, –en exercise; practise; — **macht den Meister** practise makes perfect

die **Uhr,** —, –en timepiece, watch, clock; o'clock; **Punkt zwei** — two o'clock sharp; **acht** — **fünfzehn** eight-fifteen; **wieviel**

— **ist es?** what time is it? **eine genau gehende —** an accurate timepiece

die **Uhrfeder, —, -n** watch (*or* clock) spring

das **Uhrglas, -es, ⸚er** watch glass, crystal

die **Uhrkette, —, -n** watch chain

der **Uhrmacher, -s, —** watchmaker

der **Uhrschlüssel, -s, —** key of a clock; watch key

die **Uhrtasche, —, -n** watch pocket

das **Uhrwerk, -s, -e** works of a watch *or* clock

der **Uhrzeiger, -s, —** hand of a watch *or* clock

um (*acc.*) around, about; at (*time*); **— ... zu** (*inf.*) in order to; **— zehn Uhr** at ten o'clock; **— 100 Gulden ein Meer von ...** for (on account of) 100 gulden, an ocean of ...

um-drehen to turn (around)

der **Umgang, -(e)s** association (*with others*), social form

um-gehen* (*s.*) to go around; **— mit** (*dat.*) associate with; **mit solchen Leuten muß man — können** you have to know how to handle such people

umgekehrt the other way around

um-graben* to dig (up), turn up the soil, spade

(sich) **um-kehren** to turn around

umrin′gen to surround, stand around

(sich) **um-schauen** to look around

der **Umschlag, -s, ⸚e** envelope

um-schlagen* to change

sich **um-sehen*** to look around

umsehend: sich — looking around

umsonst′ free, gratuitously

der **Umstand, -(e)s, ⸚e** circumstance; (*pl.*) ceremonies; **sich Umstände machen** to cause oneself trouble, put oneself out

um-steigen* (*s.*) to transfer; change trains

unangenehm disagreeable, unpleasant

unaufmerksam inattentive

unbequem uncomfortable, inconvenient

und and

undankbar ungrateful

unfreundlich unfriendly

ungern unwillingly, with displeasure; **ich tue es —** I don't like to do it

ungleich uneven; unsymmetrical

das **Unglück, -s, -e** bad luck, misfortune

der **Unglückstag, -s, -e** unlucky day

unhöflich impolite, discourteous

die **Universität′, —, -en** university; **auf der —** at the university (*of students*); **an der —** at the university (*of professors*)

das **Universitäts′gebäude, -s, —** university building

unpünktlich unpunctual, tardy

uns (*dat. and acc. of* **wir**) us, to *or* for us; ourselves, to *or* for ourselves

unser, unsere, unser our

der **Unsinn, -s** nonsense

unten below, downstairs; **— rechts** below to the right

unter (*dat., acc.*) under, below; among; **— uns (gesagt)** among

203

ourselves, between you and me; — **1432** (under code) number 1432

der **Unterge′bene**, –n, –n (*adj. infl.*) subordinate (*in rank*)

unter-gehen* (s.) to sink, perish

sich **unterhal′ten*** to converse; **sich — über** (*acc.*) converse about; **sich — mit** (*dat.*) converse with

die **Unterhal′tung**, —, -en conversation

unterneh′men* to undertake, do; ... **was wir alles — werden** ... all we'll be doing

der **Unterricht**, –s instruction; class

das **Unterrichtszimmer**, –s, — classroom

sich **unterschei′den, unterschied, unterschieden** to differ

der **Unterschied**, –s, –e difference, distinction

unterschrei′ben* to sign

unterstrei′chen, unterstrich, unterstrichen to underline

die **Untertasse**, —, -n saucer

unterwegs′ on the way

die **Ursache**, —, -n cause

usw. *abbr. for* **und so weiter** and so forth, et cetera

V

der **Vater**, –s, ⸗ father

sich **verab′schieden** to take leave, say good-bye

das **Verb**, –s, –en verb

(sich) **verbergen, verbarg, verborgen; er verbirgt** to hide (oneself)

verbessern to correct

sich **verbeugen** to bow

verbieten, verbot, verboten to forbid, prohibit

verbinden, verband, verbunden to connect

die **Verbindung**, —, -en connection; **die — herstellen** to make the connection; put the call through

das **Verbot**, –(e)s, –e prohibition, restriction

verboten (*cf.* verbieten): (es ist) — (it is) forbidden or prohibited (*in common use on warning signs, etc.*); **das Betreten des Rasens ist** —! do not step on the grass! **parken verboten**! no parking!

verbringen* to spend (*time*)

verderben, verdarb, ist verdorben; er verdirbt to spoil

verdienen to earn

der **Vergaser**, –s, — carburetor

vergehen* (s.) to pass

vergessen, vergaß, vergessen; er vergißt to forget; **nicht** —! do not forget!

vergeßlich forgetful

das **Vergnügen**, –s, — pleasure; **viel** —! I hope you enjoy it! I hope you have a good time!

verhaften to arrest; — **soll man ihn** he ought to be arrested

verheiratet married

die **Verheiratung**, —, -en marriage

verhungern (s.) to starve

verkaufen to sell; **zu** — on sale

der **Verkäufer**, –s, — salesman, clerk

die **Verkäuferin**, —, -nen salesgirl, clerk

der **Verkehr,** –s traffic
verlangen to demand
verlassen* to leave; **sich auf etwas** (*acc.*) — rely on
verleben to spend (*time*)
verlieren, verlor, verloren to lose
vermieten to rent (out); **wo Zimmer zu —sind** where rooms are for rent; **zu —** for rent
die **Vermietung,** —, -en rental; **Vermietungen** (*caption on want-ad page*) For Rent
vernehmen* to perceive, hear
vernünftig sensible, reasonable
verrückt crazy, mad
das **Verrücktwerden,** –s becoming crazy; **es ist zum —!** it's enough to drive a person crazy!
verschieden different
verschlingen, verschlang, verschlungen to swallow (up)
verschreiben* to prescribe
verschwinden, verschwand, ist verschwunden to disappear
versetzen to transfer, transport
versorgen to provide (for)
versorgt provided for; **gut— sein** well taken care of (provided for)
versprechen* to promise
versprochen promised; **das —e Geld** the money you promised me
der **Verstand,** –es intelligence
verstehen* to understand
verstummen (s.) to cease (to sound), become silent
versuchen to try
vertragen* to endure, bear, stand
vervollständigen to complete
verwandt related
verwenden* to use

verwundert amazed, in amazement
verzeihen, verzieh, verziehen to pardon, forgive; **— Sie** pardon me, beg pardon
die **Verzeihung,** —, -en pardon; **(ich bitte um) —** I beg your pardon, pardon me
das **Vieh,** –s stock, cattle
viel much, many, a lot
viele many; **noch —** many more
vielerlei many sorts of
vielleicht maybe, perhaps; **er könnte —** he might be able to
vielmals many times; very much; **danke —** thank you very much
vier four
viermal four times; **— Sauerkraut mit Schweinebeinen** four orders of sauerkraut and pig's feet
das **Viertel,** –s, — quarter; **— nach vier** quarter after four
vierzehnjährig fourteen-year-old, fourteen years old
vierzig forty
der **Vogel,** –s, ⁔ bird; **ein merkwürdiger —** a peculiar fellow
vollbringen* to perform, achieve
vollständig complete(ly)
von (*dat.*) of, from; about
vor (*dat., acc.*) before, in front of, ahead; (*time*) of, to; ago; **zehn — drei** ten of (*or* to) three; **— einigen Tagen** a few days ago; **— einer halben Stunde** half an hour ago
voraus'-bestellen to order in advance; subscribe to
die **Vorbedingung,** —, -en prerequisite; **— zu** (*dat.*) prerequisite for

vor-bereiten to prepare
vorbereitet prepared
vorder front
das **Vorderrad, -s, ⸚er** front wheel
der **Vorderreifen, -s, —** front tire
die **Vorderseite, —, -n** front side
voreilig hasty, rash, premature
vor-gehen* (s.) to be fast; gain (*e.g. a watch*)
der **Vorgesetzte, -n, -n** (*adj. infl.*) superior (*one higher in rank or position*)
vorgestern day before yesterday
der **Vorhang, -s, ⸚e** curtain
vorher before; beforehand, in advance
vorhin a little while ago
vorig previous, last, past
vor-kommen* (s.) to seem, appear; **mir kam er so bekannt vor** he seemed so familiar to me
vorläufig for the time being
vor-lesen* to read aloud, read to
die **Vorlesung, —, -en** university lecture
der **Vormittag, -s, -e** forenoon
vormittag(s) forenoon(s), in the forenoon
vorn(e) in front; **nach —** to the front
vornehm fine, fashionable, elegant
der **Vorschlag, -s, ⸚e** suggestion, proposition
vor-schlagen* to suggest, propose
vorsichtig cautious(ly), careful(ly)
sich **vor-stellen** to imagine
die **Vorstellung, —, -en** conception

vorüberfahrend passing, driving past
vorwärts forward
die **Vorwärtsbewegung, —, -en** forward motion
vor-zeigen to show (*e.g. a ticket*)
vorzüg′lich excellent

W

wachsen, wuchs, ist gewachsen; er wächst to grow
wagen to risk
der **Wagen, -s, —** car
die **Wagentür, —, -en** car door
wählen to choose, select; elect
der **Wähler, -s, —** selector
wahr true; **nicht —** isn't it so? aren't you? haven't you?, etc.
während (*gen.*) during; (*conj.*) while
wahrhaf′tig true, truly, sure enough
die **Wahrheit, —, -en** truth, truism
der **Wald, -es, ⸚er** forest, wood
die **Wand, —, ⸚e** wall
der **Wandfernsprecher, -s, —** wall telephone
die **Wanduhr, —, -en** wall clock
wann (*interrogative*) when?
wäre (*cf. sein*) would be, were
warm (⸚) warm, hot
die **Wärme, —** warmth, heat
die **Warmluftheizung, —, -en** hot-air heating system
der **Wart, -s, -e** attendant
warten (auf, *acc.*) to wait (for)
der **Wärter, -s, —** keeper
warum why
was what; that; how much; **— für** what kind of? what!

alles, — all that; — **kostet das?** how much does that cost?

die **Waschanstalt,** —, **-en** laundry; **Wasch- und Bügelanstalt** washing and ironing establishment, laundry

waschen, wusch, gewaschen; er wäscht to wash

das **Wasser, -s,** — water

die **Wasserkante,** —, **-n** seacoast (*especially the North Sea coast*)

der **Wasserkühler, -s,** — water cooler, radiator

der **Wechsel, -s,** — change

das **Wechselgeld, -(e)s, -er** change (*money*)

wechseln to change; — **lassen** have changed

wecken to waken

der **Wecker, -s,** — alarm clock

die **Weckuhr,** —, **-en** alarm clock

weg away, off

der **Weg, -(e)s, -e** way, road, path; **woher kommen Sie des —es?** where do you come from?

weg-eilen (s.) to hurry away

wegen (*gen.*) because of, on account of, concerning

weg-fahren* (s.) to drive away; leave

weg-laufen* (s.) to run away

weg-schicken to send away; turn away

wehklagen, wehklagte, gewehklagt to lament, wail

weich soft

die **Weihnacht,** —, **-en** Christmas

die **Weihnachten** (*pl.*) Christmas; **Fröhliche —!** Merry Christmas! **zu —** at Christmas time, for Christmas

der **Weihnachtsabend, -s, -e** Christmas Eve

der **Weihnachtsbaum, -s, ⸚e** Christmas tree

die **Weihnachtsbescherung,** —, **-en** exchange (giving) of Christmas presents

der **Weihnachtseinkauf, -s, ⸚e** Christmas purchase, Christmas shopping

die **Weihnachtsfeier,** —, **-n** Christmas celebration (festival, *or* party)

die **Weihnachtsferien** (*pl.*) Christmas holidays (*or* vacation)

die **Weihnachtsgans,** —, **⸚e** Christmas goose

das **Weihnachtsgebäck, -s, -e** Christmas cookies (pastry, *etc.*)

das **Weihnachtsgeschenk', -s, -e** Christmas present

das **Weihnachtskonzert', -s, -e** Christmas concert

der **Weihnachtskuchen, -s,** — Christmas cake (*or* kuchen)

das **Weihnachtslied, -(e)s, -er** Christmas song

der **Weihnachtsmann, -(e)s, ⸚er** Santa Claus

die **Weihnachtsmusik',** — Christmas music

das **Weihnachtsspiel, -s, -e** Christmas play

der **Weihnachtstag, -(e)s, -e** Christmas Day

die **Weihnachtstanne,** —, **-n** (*cf.* **Tanne, Tannenbaum**) Christmas tree

weil because, since

weinen to weep, shed tears
die **Weise**, —, -n manner, way
weiß white; die —e **Farbe** whiteness, white color
weiß (*cf.* **wissen**) know, knows
das **Weißbrot**, -(e)s, -e white bread, loaf of white bread; **ein kleines** — a small loaf of white bread
weißt (*cf.* **wissen**) know
weit far, distant; away; wide, large; **ich wünschte, wir wären so** — I wish we were that far (along)
die **Weite**, —, -n width
weiter further, on; wider; **nicht** — no more, no further; — **machen lassen** to have made wider (*or* stretched); **und so** — and so forth, et cetera
weiter-arbeiten to keep on working
das **Weitere**, -n remainder; **alles** — everything else
weiter-erklären to continue explaining
weiter-fahren* (*cf.* **fahren**) to go (*or* drive) on
weiter-gehen* (**s.**) to go (*or* walk) on
weiter-graben* to continue digging (*or* spading)
weiter-lesen* to go on reading
weiter-sprechen* to continue talking
sich **weiter-unterhalten** to continue the conversation, go on chatting
der **Weizen**, -s wheat
der **Weizenboden**, -s soil good for wheat growing

welcher, welche, welches which, what, who; which one
die **Welle**, —, -n wave; (*pl.*, *fig.*) watery deep
der **Wellenschalter**, -s, — switch for shifting wave lengths
die **Wellenskala**, —, **Wellenskalen** wave band, dial
die **Welt**, —, -en world; **auf die** — **kommen** to come into the world, be born
wem (*dat. of* **wer**) to whom, for whom, whom
wen (*acc. of* **wer**) whom
wenden, wandte, gewandt (*also regular verb*) to turn
die **Wendung**, —, -en turn; expression, idiom
wenig little; **ein** — a little
wenige few
weniger less
wenigstens at least
wenn if; whenever, when
wer who, one who, whoever; (*telephone*) — **dort?** who's there?
werden, wurde, ist geworden; er wird to become, grow; (*fut. aux.*) shall, will; (*pass. aux.*) be; **daraus kann nichts** — nothing can come of it; **es scheint ein schöner Tag zu** — it seems as if this will turn out to be a nice day; **von verschiedenen Stimmen wird gerufen** a number of (*or* different) voices call; **draußen wird gerufen** a call is heard outside
werdend becoming
werfen, warf, geworfen; er wirft to throw; put

das **Werk,** –(e)s, –e work; mechanism; works
das **Werkzeug,** –s, –e tool, utensil
der **Werkzeugkasten,** –s, (⸚) tool chest
das **Wetter,** –s, — weather
wichtig important
wie how, in what manner; as, like; what; when; **so ...** — as ... as; — **nennt sie ihn?** what does she call him? — **er dann ankam ...** when he arrived ...
wieder again; — **einmal** (once) again
wieder-bekommen* to get back
wieder-besuchen to visit again, revisit
die **Wiedergabe,** —, –n reproduction
wieder-geben* to give back, return
wieder-haben* to have back, have again
wieder-kommen* (s.) to come back, return
wieder-sagen to repeat, say again
wieder-sehen* to see again
das **Wiedersehen,** –s meeting again; **auf** — good-bye, till we meet again
die **Wiese,** —, –n meadow; **auf der** — in the meadow
wieso to what extent
wieviel how much; how many
will (*cf.* **wollen**) want (to), wish (to), intend (to); wants (to), wishes (to), intends (to)
willkom′men welcome
willst (*cf.* **wollen**) want (to), wish (to), intend (to)

der **Wind,** –(e)s, –e wind
winken to signal, wave
der **Winter,** –s, — winter
die **Winterluft,** — wintry air (atmosphere)
der **Wintersport,** –s, winter sport(s)
der **Wintersportklub,** –s, –s winter-sports club
der **Wintertag,** –s, –e winter day
wir we
wirklich real(ly)
wirst (*cf.* **werden**) will; become
der **Wirt,** –(e)s, –e innkeeper
die **Wirtin,** —, –nen innkeeper's wife
die **Wirtschaft,** —, –en management (*of a household, farm, etc.*); **er hilft in der** — he helps run the farm
die **Wirtsstube,** —, –n restaurant room
wissen, wußte, gewußt; er weiß to know (*as one knows a fact*); **wenn ich das gewußt hätte!** I wish I had known that! **das konnten Sie unmöglich** — you couldn't have known it; **ihn in der Ferne** — know him to be far away
der **Witz,** –es, –e joke; **machen Sie keine** —**e!** stop joking, (*sarcastically*) you don't say!
wo in what place, where, wherever; while; — ... **her?** where ... from? — ... **hin?** where ... to? — **ist sie hin?** where did she go to?
die **Woche,** —, –n week
wochenlang for weeks
die **Wochenschau,** —, –en newsreel
wofür for what, for which

woher whence, from where; — **weiß das auch Fräulein K.?** how does Miss K. know that, too?
wohin whither, to what place, (to) where; — **ist sie?** *or* **wo ist sie hin?** where has she gone (to)?
wohl no doubt, probably; **würden Sie —...?** would you be so kind...? *or* would you please...?
wohnen to dwell, reside, live
die **Wohnung, —, -en** dwelling, apartment
das **Wohnzimmer, -s, —** living room
wollen woolen
wollen, wollte, gewollt *or* **wollen; er will** to want (to), wish (to), be willing (to), intend to; want to do; **warum will sie so schnell nach Hause?** why is she in such a hurry to get home? **in die Berge —** want to go to the mountains; **er sagte, er wolle gehen** he said he wanted to go; **das will mir nicht gefallen** I don't like that a bit; **wenn Sie noch mitwollen...** if you still intend to come along...; **wollte Gott!** would to God! **du willst wohl sagen...** you mean to say..., don't you; — **Sie, bitte,...?** would you please...?
womit' with what? with which
wonach' after what, about what, for what? whereupon
woran at what, by what, to what, what, how

worauf on what, upon what, to what, which
worin in what, in which
das **Wort, -(e)s, -e** *and* **⸚er** word; **das ist ein —!** that's a promise!
der **Wortbruch, -s, ⸚e** perjury, fraud
worü'ber concerning what, about what? concerning which, about which; — **man spricht** what people talk about
wovon of what, about what, of which, about which
wozu to what, for what purpose, what for, what, how
das **Wunder, -s, —** wonder, miracle
sich **wundern** to be surprised
wunderschön marvelous
der **Wunsch, -es, ⸚e** wish, desire
wünschen to wish, desire, want; **Sie wünschen?** what do you wish? **sich etwas —** want to get, wish for oneself, ask for; **was wünscht der Herr?** what do you wish, Sir?
der **Wunschzettel, -s, —** a list of what one would like
würde, würden (*subj.*, *cf.* **werden**) would, should
würdest (*subj.*, *cf.* **werden**) would
die **Wurst, —, ⸚e** sausage
das **Würstchen, -s, —** frankfurter; **warme —** hot frankfurters
die **Wüste, —, -n** desert, wilderness

Z

zahlen to pay
zählen to count

die **Zahlung,** —, **-en** payment
der **Zahn,** **-(e)s,** ⸚**e** tooth; **einen — ziehen lassen** to have a tooth pulled
der **Zahnarzt, -es,** ⸚**e** dentist
die **Zauberei',** —, **-en** sorcery
der **Zauberer, -s,** — magician, sorcerer
der **Zaun, -(e)s,** ⸚**e** fence
z. B. *cf.* **Beispiel**
zehn ten
der **Zehnmark'schein, -s, -e** ten-mark bill (*paper money*)
das **Zehnpfen'nigstück, -(e)s, -e** ten-pfennig piece (*coin*)
zeigen to show, demonstrate, represent; point; **— auf** (*acc.*) point at; **sich —** manifest itself
der **Zeiger, -s,** — hand (*of a watch, clock, etc.*)
die **Zeile,** —, **-n** line
die **Zeit,** —, **-en** time; **in letzter —** recently; **in dieser —** in these times
die **Zeitangabe,** —, **-n** time signal
die **Zeitansage,** —, **-n** announcement of correct time
die **Zeitschrift,** —, **-en** periodical, magazine
die **Zeitung,** —, **-en** newspaper
der **Zeitungsreporter, -s,** — newspaper reporter
zerbrechen* to break (to pieces)
zerlegen to analyze; **in Teile —** split up into component parts
zerreißen, zerriß, zerrissen to tear to pieces
zerstören to destroy
zerstreut absent-minded
der **Zettel, -s,** — note, slip of paper, ticket, sticker
ziehen, zog, gezogen to draw, pull; raise, cultivate; **— lassen** have pulled
die **Zigaret'te,** —, **-n** cigarette
die **Zigar're,** —, **-n** cigar
das **Zimmer, -s,** — room; **auf dem —** in the room
die **Zone,** —, **-n** zone
zu (*dat.*) to, toward; for; at; on; belonging to; **auf —** ... up and away; **—** ... **hinaus** on out to; **— 50 Pfennig** at (for) 50 pfennigs; **zum ersten Februar** on the first of February; **— euch** (**Ihnen, dir**) to your place (*or* home); **zur Tür herein** in through the door
der **Zucker, -s** sugar
die **Zuckerdose,** —, **-n** sugar bowl
zuerst' at first, to begin with, first
zufällig accidental(ly), by chance; **das weiß ich —** I happen to know that
zufrie'den satisfied, contented
zufrie'den-stellen to satisfy
der **Zug, -(e)s,** ⸚**e** train
zugänglich accessible, open
zu-geben* to admit
der **Zugführer, -s,** — train conductor
das **Zugtier, -s, -e** draft animal (*e.g. draft horse*)
das **Zuhau'se** home
zu-kommen* **auf** (*acc.*) (**s.**) to come up to, approach
zuletzt at last; last
zu-machen to close, shut, seal
die **Zündung,** —, **-en** ignition
zu-nicken to nod to
zurück back, behind
zurück-bekommen* to get back (*e.g. in change*)

zurück-fahren* (*cf.* **fahren**) to ride (*or* drive) back
zurück-geben* to give back, return
zurück-gehen* (s.) to go back, return
zurück-kehren (s.) to return
zurück-kommen* (s.) to come back, return
zurück-schauen to look back
zurück-treten* (s.) to step back
zusam'men together, all together; **es macht** — it comes (amounts) to
zusam'men-bringen* to get together, scrape together
zusam'men-falten to fold (together)
zusam'mengesetzt compounded
zusam'men-laufen* (s.) to run together; **läuft mir das Wasser im Munde** — my mouth waters
das **Zusam'mennehmen, –s** picking up
zusam'men-setzen to put together, compound
zu-sehen* to watch, look on
zu-setzen to add; — **lassen** have added
zuvor' ahead
zuvor'-kommen* (s.); **uns** (*dat.*) — to get ahead of us
zwanzig twenty
der **Zwanzigmark'schein, –s, –e** twenty-mark bill (*paper money*)
zwei two
zweifach twofold, two
der **Zweig, –(e)s, –e** twig, branch
zweimal twice, two times
zweit– second
zweiundeinhalb two and one-half
zweiundzwanzig twenty-two
zwischen (*dat., acc.*) between
zwölf twelve
zwölfjährig twelve-year-old, twelve years old